FALL *in* WAACKING

Credits

풀 인 왁킹 (Fall in Waacking)

발행	2024년 7월 17일
저자	김세호(세이치)
디자인	김세호(세이치)
편집	김세호(세이치)
펴낸이	송태민
펴낸곳	열린 인공지능
등록	2023.03.09(제2023-16호)
주소	서울특별시 영등포구 영등포로 112
전화	(0505)044-0088
이메일	book@uhbee.net
ISBN	979-11-94006-33-6

www.OpenAIBooks.com

FALL *in* WAACKING

Contents

■ 디스코 (Disco)

1. 디스코의 탄생과 정의

2. 1970년대 미국 사회 배경과 디스코 시대(Disco Era)

(1) 1970년대 미국의 경제적 상황

(2) 반전 운동과 사회의 보수화

(3) '나'를 중요시하는 시대로의 전환

3. 디스코 스타일(Disco Style)

(1) 디스코의 특성

(2) 디스코의 전개와 그 이후

(3) 라이프스타일 또는 문화로서의 디스코

(4) 역대 디스코 히트곡과 뮤지션

■ 디스코 음악의 3가지 스타일

■ 왁킹 (Waacking)

■ 소울 트레인 (Soul Train)

■ 아웃레이져스 왁 댄서즈 (The Outrageous Waack Dancers)

■ 왁킹의 특징

1. 외형적 특징

2. 사회적 특징

3. 내면적 특징

■ 왁킹에 대한 유튜브 기록
1. 왁킹의 탄생 배경
(1) 게이 문화와의 관련성
(2) 디스코 음악과의 관련성
2. 형성 과정
(1) 대표적인 인물
(2) 용어의 도입 및 정의
3. 왁킹의 근원 및 특징
(1) 외형적 측면
(2) 내면적 측면

■ 펑킹 (Punking)과 왁킹 (Waacking)
■ 왁킹 (Waacking)과 보깅 (Voguing)
■ 마지막, 왁킹을 하려는 분들께

■ (부록) 왁킹에 관련된, 참고할 만한 음악 리스트

왁킹을 이해하기 위해서는
1970년대 미국 사회에 대해
먼저 알아야 한다.

그 기반이 된 디스코(Disco)
음악에 대한 이해도
필요하고, 너무나 중요하다.

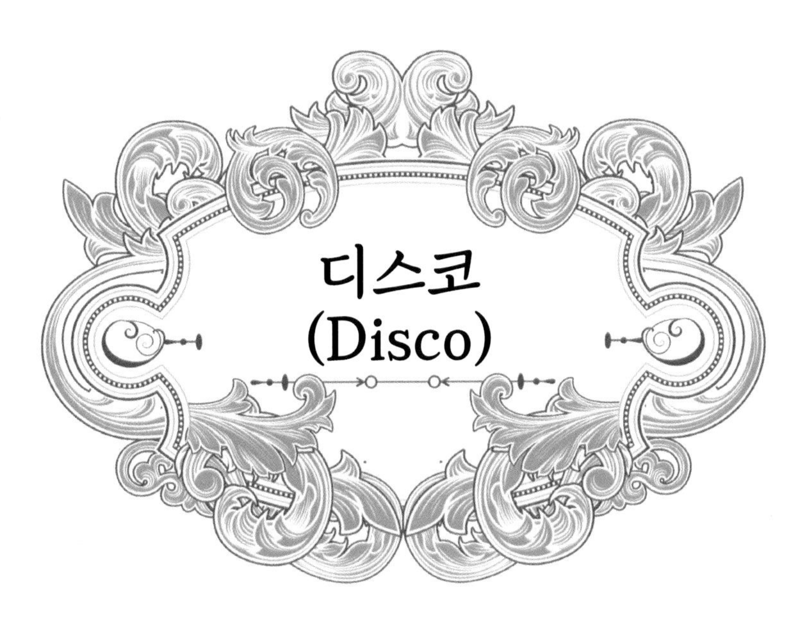

디스코
(Disco)

1. 디스코의 탄생과 정의

디스코는 1970년대 말부터 1980년대 초기에 걸쳐 전 세계적으로 대중적이었던 음악과 댄스 스타일이다. 1970년대의 음악과 댄스를 주제로 이야기할 때, '디스코'라는 장르는 빠질 수 없는 요소다.

1960년대를 지나면서 소울(Soul)과 펑크(Funk)는 흑인 음악의 주요한 형태가 되었지만, 힙합 같은 경우에는 1970년대 말까지 흑인 사회에서도 주류로 받아들여지지 않았다. 과거에는 흑인 음악의 시작이었던 재즈(Jazz)나 로큰롤(Rock n roll) 등이 백인들 사이에서도 인기를 끌었지만, 소울(Soul)과 펑크(Funk)는 백인들에게는 크게 사랑받지 못했다.

1970년대 중간까지 백인들의 락(Rock) 음악이 미국 음반 시장의 80% 이상을 차지하면서 주류 음악을 형성하고 있었다. 그 시절에는 락(Rock) 음악이 반전이나 반문화 운동과 함께 젊은이들의 저항의 상징이었고, 락(Rock) 외의 장르나 특히 댄스 음악은 수준이 낮은 음악으로 여겨질 때였다. 그러나 베트남 전쟁이 끝난 1970년대 중반부터 이런 경향은 서서히 바뀌기 시작했다. 새로운 음악을 찾는 사람들이 늘어나면서, 당시 클럽에서 인기를 끌고 있던 댄스 음악인 디스코에 대한 관심이 커졌다.

디스코라는 단어는 원래 레코드를 재생하는 음악 감상실을 의미하는 프랑스어 '디스코텍(Discothèque. record library)'에서 파생되었다. 1940년대, 제 2차 세계대전 이후의 프랑스에서는 경제적인 이유로 라이브 밴드 대신 DJ가 LP를 재생하는 클럽이 대중적이었고, 이 때 '디스코'라는 용어가 처음 사용되기 시작했다. 사람들은 이러한 클럽을 '디스코텍'이라 부르기 시작했다. 그 때부터 '디스코'는 춤을 출 수 있는 음악과 그에 맞는 공간이나 분위기를 지칭하는 용어로 사용되었다.

디스코텍의 등장 이전에도, 미국에는 라이브 음악을 연주하는 댄스 클럽과 주크박스에서 음악을 틀어주는 곳이 존재했다. 그러나 이전에는 사람들이 직접 춤을 추는 문화는 라이브 음악 클럽에서 주로 발전했고, 주크박스 클럽은 저렴한 엔터테인먼트 장소로 여겨졌다. 레코드와 춤이 결합된 새로운 문화는 1970년대 말에 등장한 디스코텍에서 완성되었다.

이러한 디스코텍 스타일의 클럽은 1960년대 미국에서 큰 호응을 얻었는데, 1960년대 후반부터 1970년대 초반까지 미국 뉴욕과 필라델피아의 흑인 및 히스패닉계 게이 클럽에서 주류음악인 락(Rock)에 대한 반발과 댄스 음악에 대한 경시 풍조에 대한 반대로 디스코라는 장르가 탄생했다.

펑크(Funk)와 소울(Soul), 라틴 음악(특히 살사), 사이키델릭(Psychedelic) 등의 영향을 받은 디스코 음악은 빠르고 경쾌한 댄스 음악으로, 1970년대 초 뉴욕의 '로프트(The Loft)' 등의 클럽을 중심으로 빠르게 전파되었다.

디스코라는 용어는 한때 '고고(go-go)'와 동의어로 사용되기도 했다. 그러나 얼마 지나지 않아 프랑스의 일부 클럽에서는 '위스키 어 고고(Whisky a go-go)'라는 이름으로 바꾸어 부르기 시작했고, 이 음악은 1960년대 미국으로 들어와 여관과 주크박스, 그리고 구조물 안에서 춤추는 댄서들이 결합한 형태로 발전했다. 힘든 하루를 보낸 노동자들은 친구들과의 교류보다는 더 강렬한 즐거움을 원했고, 그 결과로 주크박스와 춤추는 댄서들이 많은 사랑을 받게 되었다.

그러나 대도시에서는 조금 다른 모습을 보였다. 게이 클럽에서의 DJ들은 춤추기 좋은 흑인 음악을 선택하여 틀어주면서 디스코텍과 디스코 음악의 활성화에 크게 기여했다. 1960년대 말에 큰 인기를 누렸던 '슬라이 앤 더 패밀리 스톤(Sly and the Family Stone)'과 '제임스 브라운(James Brown)'의 음악은 디스코 장르의 시초가 되었다.

디스코는 당시 미국의 주류 문화로 성장하는 것을 넘어서, 전 세계적으로 인기를 끈 중요한 대중음악 장르였다. 디스코의 유행은 하우스(House)나 테크노(Techno)와 같은 클럽 음악 장르에 직접적인 영향을 주었으며, 이들 장르는 현재까지도 대중음악계에서 중요한 역할을 하고 있다. 더불어 하우스(House)나 프리스타일 힙합(Freestyle hiphop)과 같은 스타일 또한 크게 영향을 받았다.

제임스 브라운

슬라이 앤 더 패밀리 스톤

실제로 디스코를 한 문장으로 정의하기는 매우 까다롭다. 디스코 댄스가 널리 알려진 계기는 바로 영화 <토요일 밤의 열기(Saturday Night Fever)> 덕분인데, 이 영화에서 소개된 다양한 춤이 디스코라는 이름 아래 묶여서 알려지게 되었다. 영화에서 나오는 다양한 디스코의 형태를 바탕으로 그 특징을 분류하면 다음과 같다.

(1) 여러 사람이 줄을 지어서 추는 '라인 댄스'
(2) 남녀가 짝을 이뤄서 추는 '파트너 댄스'
(3) 개인이 자유롭게 리듬에 맞춰서 추는 '프리스타일 디스코'

이 중에서도 라인 댄스와 파트너 댄스의 대표적인 예시로 허슬(Hustle)이 있으며, 프리스타일 디스코(Freestyle Disco)의 대표적인 예로는 왁킹(Waacking)이 있다. 또한 디스코 음악에 맞추어 등장하거나 초기부터 디스코 음악과 함께 추던 범프(Bump), 부갈루(Boogaloo), Y.M.C.A 등의 유행 댄스들도 프리스타일 디스코(Freestyle Disco)의 범주에 포함될 수 있다.

2. 1970년대 미국 사회 배경과 디스코 시대 (Disco Era)

(1) 1970년대 미국의 경제적 상황

1960년대 후반에는 여러 경제 전문가들이 미국 경제의 성장세가 계속될 것으로 예상했지만, 단 10년 만에 그 상황은 완전히 바뀌었다. 1970년대 후반으로 넘어가면서 경제 상황은 점점 악화되었고, 사회 전반에 침울한 분위기가 퍼져갔다.

1970년부터 1971년에 걸친 '스태그플레이션(Stagflation)'과 이어져 1972년부터 1973년에 일어난 '미니 붐(Mini Boom)'이 있었지만, 이 모든 것은 미국 경제의 타락을 예고하는 신호일 뿐이었다. '미니 붐(Mini Boom)'은 불황과 장기 침체, 대량 실업이 발생하기 전에 나타난 마지막 경기 호황을 가리키는 말이었다. 1973년과 1974년 사이에 일어난 석유 위기와 세계적인 경제 공황은, 제 2차 세계대전 이후 이어진 번영한 시기를 갑작스럽게 끝내버렸다.

전쟁 이후 지속적인 경제 성장이 멈추기 시작한 1974년부터 미국과 유럽에서 두드러진 현상은 산업 생산량 증가율의 감소였다. 산업 생산은

스태그플레이션
(Stagflation)

1974년부터 1975년 4월 사이에 10% 줄었고, 세계 무역량도 13% 감소했다. 이러한 추세는 1970년대 내내 이어졌고, 이에 따라 실업률이 상승하고 제조업 중심에서 서비스업 중심으로 산업 구조가 변화하면서 여러 가지 문제가 발생했다. 제조업에서의 일자리 증가 속도가 서비스업에 비해 느린 현상은 과거 경제 성장 시기에도 마찬가지였다.

농촌에서 도시로 유입되는 인구가 줄어들면서 농민들의 실업률이 상승했다. 제조업의 생산성은 1973년 이후 크게 저하되어 서비스 산업의 절반 수준에 불과했고, 이에 따라 제조업 분야의 일자리는 매년 2%씩 감소했다. 제조업 분야의 일자리는 '숙련 노동자의 정규직 고용'을 의미하는데, 이들 대부분은 일자리를 잃었고, 새로 생긴 서비스업의 경우에는 비정규직이 많았다. 이러한 시간제 근로 형태는 주로 경력 단절 여성들이 재취업하는 방식으로 이루어지고 있었기 때문에, 제조업 분야 일자리 감소는 결국 비정규직 증가로 이어질 가능성이 높았다.

노동조합의 협상 능력이 예전보다 약해지고 물가 상승으로 근로자들의 월급은 줄어들었다. 산업 구조변화로 경영자들의 생산 과정에 대한 통제권이 다시 확립되었고, 이에 따라 노동자들은 해고 압력에 대응하기 위해 많은 양보와 타협을 하게 되었다.

1970년대에 들어서 자본주의 체제가 영원히 지속될 것이라는 확신은 위기를 맞이하게 되었고, 이에 따라 전 세계적으로 실업과 불완전 고용 문제가 확산했다. 도시에는 아르바이트로 생계를 유지하는 청년들이 넘쳐나고 있었으며, 과거에는 사회 정의와 연대를 위해 기업 경영진에 맞서던 노동조합은 이제 더 이상 존재하지 않았다.

(2) 반전 운동과 사회의 보수화

1965년 베트남 전쟁이 시작되었고, 이에 따라 1960년대에는 미국, 유럽, 일본 등에서 반전 운동과 신좌파의 등장이 이루어졌다. 전 세계가 반전 운동의 격렬한 흐름에 휩쓸렸다. 1967년에는 미국의 뉴욕과 샌프란시스코에서 대학생들을 중심으로 대규모 반전 시위가 일어났고, 이들은 대부분 신좌파 이념과 히피 문화에 깊이 빠져 있었다. 사회적 약자에 대한 차별과 전쟁에 반대하며, 평화와 연대의 가치를 통해 세상을 바꾸려는 이들은 히피 스타일, 사이키델릭 블루스와 락 음악, 환각제와 성적 해방의 라이프스타일 등을 통해 학교를 점령했다.

그러나 1968년 5월, 뉴욕 컬럼비아 대학교에서 학생들을 강제로 진압하는 경찰의 모습이 나타나자, 반전 운동은 점점 급진하게 되었다. 국가에 대한 분노와 반감이 점차 커지면서 대학가에서는 폭력 사태가 빈번하게 발생하였고, 1970년 5월에는 켄트 주립대학교에서 발생한 총기 난사 사건이 미국 사회에 크게 충격을 주었다. 이 사건은 공권력이나 군대에 대한 불신이 커지게 했고, 진보적인 청년들은 더 이상 의견을 내지 못하게 되어 깊은 좌절감에 빠지게 되었다.

이후에는 반대파를 무자비하게 억압했던 리차드 닉슨(Richard Nixon)

반전 운동

이 1972년 대선에서 압도적인 승리를 거두며 재선에 성공했다. 베트남 전쟁은 점차 마무리되었고, 정치적 활동에 대한 관심은 줄어들었으며, 경제 상황도 좋지 않았다.

1960년대에 자유와 평화를 외치던 히피들은 이제 물질적인 풍요를 추구하는 여피로 변화했다. 사회 변혁을 위해 싸우던 사람들은 이제 자신과 가족을 먼저 생각하게 되었고, 그 결과 히피 복장은 깔끔한 정장으로, 환각제는 비타민 알약과 조깅으로, 그리고 락과 사이키델릭 사운드, 메시지가 담긴 포크 음악은 부드럽고 감미로운 음악으로 대체되었다. 1960년대의 젊은 세대는 1970년대에 들어서며 자신의 생활과 안정을 추구하는 성인으로 변화했고, 이로써 '나'를 중심으로 하는 새로운 시대가 시작되었다.

베트남 전쟁

히피 (Hippie, Hippy)

미국의 물질문명에 항거하는 젊은이들의 그룹. 이들은 더벅머리, 맨발 차림에 옷을 되는 대로 입고 문화와 예술을 즐기며, 개방적인 성관계를 가지는 등, 말하자면 미국 사회의 정치적 이방인이다.

여피 (Yuppie)

도시나 그 주변을 기반으로 지적인 전문직에 종사하는 젊은이. 젊은 (young), 도시형(urban), 전문직(professional)의 머리글자를 딴 YUP에서 나온 말로서 가난을 모르고 자란 세대 가운데 고등교육을 받은 도시 근교에서 전문직에 종사하면서 고수입을 올리는 도시의 젊은 인텔리를 말한다.

(3) '나'를 중요시하는 시대로의 전환

1970년대 중반, 많은 청년이 자신들의 에너지를 즉각적인, 물질적인 목표에 집중했다. 인문학은 인기를 잃었고, 대학에서는 취업에 도움이 되는 학문을 배우려는 학생들이 늘어났다. 1974년의 경제 침체는 많은 사람들을 실직에 빠뜨리며 개인주의적 성향을 더욱 확산시켰다. 불안감이 사람들을 자신의 이익만을 추구하도록 만들었고, 이혼율이 상승하고 가정이 붕괴하면서 사람들은 점차 분열되고 이기적으로 바뀌었다.

결혼을 피하는 사람들이 늘어났고, 이들은 외로움을 달래기 위해 술집이나 휴양지와 같은 곳을 찾았다. 마약과 같은 환각제를 사용하여 현실의 고통을 잊으려고 했다. 1960년대에는 목소리를 내기 어려웠던 성소수자들은 한 사람과의 지속적인 관계보다는 다양한 사람과의 만남을 통해 쾌락을 추구하게 되었다.

1970년대에 태어난 베이비붐 세대들은 자기 발전과 즐거움을 위해 자신의 스타일을 바꾸려고 노력했다. 이처럼 자신만을 생각하는 태도는 점차 당연한 것으로 받아들여졌다.

린다 론스타드(Linda Ronstadt)는 1970년대 초, 미국 사회의 분위기를

린다 론스타드

대표하는 가수였다. 그녀는 민주당의 조지 맥거번(George McGovern) 후보를 지지하며, 이 나라에서 진정한 애국심이 부활하기를 바라는 마음을 가졌다. 선거가 끝난 후 그녀는 이렇게 말했다.

"사실 누가 대통령으로 적합한지, 그 누구도 알 수 없습니다. 그런데 이런 일에 관심을 가진다면, 스탠다드 오일 회사(Standard Oil) 는 왜 안 된다는 겁니까? 제가 말하고 싶은 것은, 사람들이 더 많은 것을 얻지만 동시에 그만큼 잃는 것도 많다는 것입니다. 만약 '스탠다드 오일 회사'에 문제가 생긴다면 많은 사람이 일자리를 잃게 될 것입니다. 확실한 것은 우리가 그 기업을 필요로 하고, 그 기업의 서비스를 원하며, 그 기업이 제공하는 일자리를 원한다는 것입니다."

1972년, 린다 론스타드의 투어 밴드는 팀명을 '이글스(Eagles)'로 바꾸고 급속도로 스타가 되었다. 주요 작곡가인 잭슨 브라운(Jackson Brown)은 1960년대에 저항적인 포크 음악을 만들었지만, 1970년대에는 부드럽고 편안한 서부 해안 스타일의 음악을 만들었다.

1960년대 중반부터 1970년대 중반까지의 10년은, 제2차 세계대전 이후 가장 빠른 사회 변화가 일어난 시기였다. 미국 경제는 황금기를 마감하였고, '케인즈 주의'도 더 이상 효과가 없었다. 존 F. 케네디 대통령은 암살당했고, 리차드 닉슨 대통령은 재선에 성공했다.

베트남 전쟁으로 인해 확산한 평화와 자유라는 가치는, 억압과 좌절의 현실에 부딪혀 개인적인 행복을 추구하는 이기주의로 바뀌었다. 우드스탁에 모였던 40만 명의 사람들은 마치 <토요일 밤의 열기(Saturday Night Fever)>에 나오는, 세련된 구두를 신고 뉴욕 브루클린의 디스코텍 댄스 플로어에 있는 '토니 마네로(Tony Manero)'처럼 보였다.

3. 디스코 스타일(Disco Style)

(1) 디스코의 특성

디스코라는 단어는 단순히 음악 장르를 지칭하는 것만은 아니다. 디스코는 삶의 방식이자 문화이고, 그 자체로 하나의 분위기(mood)이기도 하다.

디스코가 유행하면서 많은 사람이 과거의 방식이든 새로운 방식이든 파트너와 함께 정해진 동작으로 춤을 추게 되었다. 디스코 음악은 '8비트 4박자'라는 일정한 박자를 사용하며, 이는 미국 흑인들의 음악인 '모타운(Motown. 디트로이트에서 유래한 모터+타운의 합성어) 블루스'에서 비롯된 것이다. 언더그라운드 디스코텍에서 유행하던 블루스 음악으로부터 디스코가 발전하면서, 디스코는 다양한 대중음악의 요소들을 포함하게 되었다.

'Hustle-Verse-Bump' 형태의 구성과 그 아래에 깔려있는 8비트 베이스 라인 안으로, 흑인 음악, 서프(Surf), 락(Rock), 유로 팝, 아방가르드, 클래식 등 다양한 장르가 융합되어 있다. 심지어 클래식이나 전통 멜로디 등의 멜로디 라인과 신디사이저, 드럼머신 등 다양한 악기로 구성된 오케스트레이션(Orchestration)이 결합한 디스코는 당시 유행하던 거의 모든 음악적 요소를 하나의 리듬 속에 녹여내 대중음악의 본질을 보여주었다.

디스코 음악은 DJ가 턴테이블을 이용해 플레이하는 레코드 음악이었다. 그래서 대부분의 디스코 앨범에는 곡의 빠르기를 나타내는 BPM(Beats Per Minute) 수치가 적혀 있다. 1970년대 초반의 초기 디스코 음악들은 대부분 조금 느린 템포여서 BPM이 90~110 사이였다. 하지만 얼마 지나지 않아, 빠른 비트의 디스코 음악이 인기를 끌면서 속도는 110~140 BPM으로 빨라졌고 길이도 4분 이상으로 늘어났다. 그 당시 유행하던 3분 정도의 노래로는 클럽에서 춤추고 있는 사람들에게 만족감을 줄 수 없었다. 이 때문에 DJ들은 서로 다른 노래를 자연스럽게 이어주는 방법을 고민하게 되었고, 그때마다 앨범 커버에 표시된 BPM이 큰 도움이 되었다.

대부분의 디스코 음악 앨범들은 자유로운 리듬으로 시작하는 도입부가 있다. 이는 이전 곡의 속도에서 다음 곡으로 넘어가는 동안 생기는 공백인데, 이를 통해 댄서들은 무대에서 물러나 잠시 쉴 수 있었다. 또한 도나 서머(Donna Summer)의 'Love To Love You Baby'와 같은 일반적인 곡들보다 길이가 길게 만들어서, 댄서들이 중간에 멈추지 않고 한 곡으로 춤을 출 수 있도록 하기도 했다.

디스코 음악은 이러한 특징들을 가지고 있지만, 가장 중요한 것은 디스코는 클럽에서 춤을 추기 위한 음악이며 DJ가 레코드를 플레이하는 음악이라는 것이다. 이전에는 라이브 음악을 연주하는 사람들이 있던 곳에 DJ가 등장했다. 이는 향후 전문 디스코 DJ가 등장하고 일부는 리믹서(Remixer)로서 직업적으로 활동하게 될 것임을 예고했다.

또한, 디스코는 1970년대의 거리 문화인 '스트릿 펑크(Street Funk)'와 연결되어 있었다. 모든 곡이 동일한 다이내믹 레벨로 구성되어 있지는 않지만, 비트마다 강조되는 부분이 있어 디스코는 펑크(Funk)와 유사하다. 또한 댄스 음악은 흥겨운 분위기를 만들기 위해 코러스와 타악기 소리를 강조하는 경우가 많다. 쿨 앤 더 갱(Kool & the Gang)의 'Ladies' Night'이나 그들의 스트릿 펑크 앨범 'Funky Stuff'도 이러한 특징을 보여준다.

도나 서머

쿨 앤 더 갱

(2) 디스코의 전개와 그 이후

디스코 열풍이 본격적으로 시작된 시점은 1970년대 초기로, 클럽에서 레코드를 틀어놓고 춤추는 형태였다. 그러나 디스코라는 장르가 대중음악계에 자리 잡기 시작한 시점은 1975년 이후로 볼 수 있다. 이는 1974년에 글로리아 게이너(Gloria Gaynor)의 'Never Say Goodbye'가 차트의 최상위에 오르면서 나타나기 시작했다.

초기 디스코 음악은 느린 템포의 곡이 많았지만, 시간이 지나며 점차 빠른 음악으로 변화하게 되었다. 이 변화에는 DJ 톰 몰튼(Tom Moulton)의 영향이 컸다. 그는 일반적으로 3분 길이의 곡은 춤을 추는 사람들이 너무 짧다고 판단했다. 그래서 그는 디스코 음악을 더 길게 만들기 위해 다른 테이프와 섞어 놓았고, 이 과정에서 '디스코 믹스'가 탄생했다. 이로 인해 몰튼은 이 분야의 첫 번째 리믹서가 되었다.

톰 몰튼의 믹싱한 버전으로 곡을 발매하고 싶어 하는 뮤지션들이 많아져서, 그는 여러 트랙으로 구성된 앨범들을 작업하는 데 많은 시간을 보냈다. 그러나 당시 사용되던 7인치 레코드판은 최대 4~5분 길이의 음악만 퀄리티를 유지할 수 있었다. 그래서 그는 '앨범 버전(Song-album version)'과 '풀 버전(Full-length version)'의 두 가지 버전으로 믹스

음반을 만들었다. 그러나 사람들이 가장 원했던 것은 '긴 버전의 음악' 이었다. 이를 위해 톰과 그의 마스터링 파트너인 로드리게즈(Rodroguez)는 싱글을 7인치가 아닌 10인치 바이닐(Vinyl)에 기록하게 되었다.

마침내 12인치 싱글 레코드의 제작이 시작되면서, 이는 DJ들이 가장 많이 활용하는 도구로 자리매김하게 되었다. 12인치 싱글은 3~4분 길이의 곡을 10~15분까지 늘려주었고, 음질 역시 7인치 싱글과 비교하면 매우 우수했다.

디스코텍에서는 리믹스 문화가 생기기 전에는 DJ들이 직접 선택한 음악이 재생되었다. DJ는 음악을 플레이하고, 유사한 분위기의 곡을 자연스럽게 이어주는 역할을 했다. 이러한 음악 믹싱 기술이 발전하면서, 공연이 시작되기 전의 연주곡으로만 구성된 긴 전주 부분이 필요하게 되었고, 이 사이에 다른 곡들을 섞기도 했다. 실제로 많은 디스코 음악이 DJ들의 이러한 요구를 반영하고 있다.

더블 익스포져(Double Exposure)의 'Ten Percent'는 최초의 상업적인 12인치 싱글로, SalSoul 레코드사에서 발매되었다. 이후 'Night Fever' 등 많은 곡이 12인치 레코드로 발매되어 클럽에서 인기를 끌었다. 12인치 싱글 레코드를 최초로 제작한 톰 몰튼은 이렇게 말했다.

"나는 댄스 음악을 만들려고 한 것이 아니다. 단지 이 음반이 춤추는 사람들에게 좋은 음악일 것이라고 생각했을 뿐"

이 말은 디스코라는 새로운 음악 스타일 전체의 철학을 잘 표현하고 있다.

더블 익스포저

톰 몰튼

디스코 음악은 신나는 분위기를 만들어서 춤추는 사람들에게 즐거움을 준다. 디스코 리듬에 푹 빠진 사람들은 마치 최면에 걸린 듯이 몸을 움직였고, 춤을 추지 않더라도 신나는 디스코 음악을 듣는 것만으로도 큰 즐거움을 느꼈다. 디스코 음악에서 '댄스'라는 단어를 주로 찾아볼 수 있는 것은 이 때문이다. 대부분의 디스코 음악은 '행복'이나 '춤'을 주제로 하며,

에이즈(AIDS)가 유행하기 전까지 '성'이 주요한 관심사였던 사회 분위기를 반영하여 '남녀 간의 사랑'이 주요 주제로 다뤄지기도 했다.

그러나 디스코 열풍은 1979년에 갑작스럽게 멈추었다. 이는 일부 락 음악 팬들이 디스코에 대한 거부감을 가지기 시작하고, 매스컴이 과도하게 디스코를 홍보하면서 사람들이 디스코에 질리게 된 것이 큰 원인이었다.

영화 <그리스(Grease)>와 비틀즈의 <Surgeant Pepper's Lonely Hearts Club Band>의 OST 앨범 등이 대량으로 재고가 남았고 반품되는 사태가 발생했다. 많은 대형 음반사들이 대중을 수익 창출의 수단으로 여기는 바람에, 이는 팝 음악계에 큰 부정적인 영향을 주었다. 프로듀서들은 음악적인 품질을 희생하면서 신디사이저나 드럼머신을 활용해 디스코 스타일의 리듬을 만드는 것이 효과적이라는 것을 깨달았다. 또한 공동 작곡이 혼자서 일하는 것보다 수익성이 더 높다는 것을 인식하게 되었다. 그러나 대부분의 디스코 음악은 클럽용 댄스 음악으로 시작되었으며, 인기를 끌었던 곡들 대부분은 소규모 음반사에서 발매되었다.

대중음악이 쇠퇴하는 상황에서, 디스코는 새로운 주목을 받게 되는 아이러니한 현상을 보였다. 신디사이저와 드럼 머신 덕분에 소수의 인원으로도 쉽게 디스코 곡을 제작할 수 있게 되었고, 유명한 곡이나 클래식 음악의 멜로디를 차용하는 경우도 많아졌다. 이는 많은 커버 앨범과 샘플링으로 이어지면서 디스코는 오랫동안 사랑받는 장르로 자리매김하게 되었다. 또한, 리믹스 기술의 발전과 함께 디스코는 Hi-NRG, House, Italo-Disco, Euro, Garage 등의 새로운 이름으로 그 계보를 이어갔다.

(3) 라이프스타일 또는 문화로서의 디스코

디스코 음악은 일반적인 로큰롤 음악과는 달리 댄서에게 더 큰 중점을 두었다. 무대 위의 아티스트보다 댄스 플로어가 스포트라이트를 받았다.

"이곳은 마치 어른들을 위한 디즈니랜드 같아요. 우리가 하는 일은 사람들이 꿈을 이루는 걸 돕는 것입니다."

스튜디오 54를 공동 운영한 이언 슈레거(Ian Schrager)와 스티브 루벨(Steve Rubell)은 이렇게 말했다.

스튜디오 54

"저는 공간의 분위기와 환경이 중요하다고 생각합니다. 표면적으로 보이지 않지만, 모든 사람이 무대에 서는 것을 좋아하며, 우리는 그들이 자신의 재능을 마음껏 펼칠 수 있는 공간을 제공해 준 것입니다. 디스코텍은 방문객들이 마치 무대의 주인공이 된 듯한 느낌을 받을 수 있도록 해야 합니다."

스튜디오 54는 무대 위의 화려한 조명 효과와 인공 눈, 그리고 85피트의 대형 스크린 등 450여 가지가 넘는 다양한 특수 효과를 자랑했다. 시카고의 조리네스(Zorines's) 호텔은 거울방과 나선형 계단, 발코니, 그리고 비밀스러운 장소 등으로 구성되어 있었다. 로스앤젤레스의 딜리온즈(Dillion's)는 TV 모니터링 시설이 있는 4층 건물이었고, 워싱턴DC의 피시즈(Pieces)는 옛날 영화 촬영 세트와 상어가 가득한 1000갤런의

수족관, 그리고 다양한 이국적인 식물들을 볼 수 있었다.

젊은 싱글들은 '디스코 복장'으로 불리는 화려한 옷차림으로 디스코텍에 출입했다. 남성들은 금 액세서리와 에나멜가죽의 플랫폼 슈즈, 몸매를 강조하는 이탈리아 스타일의 광택 나는 바지, 그리고 단추 없는 폴리에스터 소재의 셔츠를 착용했다. 여성들은 깊게 파인 드레스와 하이힐, 화려한 목걸이, 금실로 수놓은 장갑 등을 선호했다. 이 시기에는 이런 화려한 옷차림이 필수였고, 거의 알몸에 가까운 옷차림이 일반적이었다. 하지만 이런 옷차림과 금색 액세서리가 조명을 반사해 비현실적인 스타 이미지를 만들어 주었다.

"디스코텍에서 춤을 추는 것에는 옷차림도 중요한 요소입니다."

...Where do you go when the record is over...
SATURDAY NIGHT FEVER

영국의 기자인 닉 콘(Nick Cohn)은 뉴욕의 디스코 문화에 대해 보도하기 위해 뉴욕을 방문했다. 콘은 유명한 디스코 댄서와 함께 뉴욕의 후미진 골목길을 돌아다녔다. 그는 브루클린의 한 클럽에서 발생한 싸움을 목격했고, 그 속에서 눈부신 하얀 옷을 입은 젊은이를 발견했다. 그의 눈부신 모습은 거리의 자동차들이 그 빛 때문에 멈춰 서게 했다. 콘은 그의 눈부신 모습에 압도되었고, 그 순간 '토니 마네로(Tony Manero)'라는 캐릭터가 탄생했다. 콘은 유명한 프로듀서 스티그우드와 현장에서 계약을 맺었고, 그 결과 <토요일 밤의 열기(Saturday Night Fever)>가 탄생했다.

콘이 발견한 눈부신 젊은이는 사실 특별한 것이 없는 일반적인 청년이었지만, 토니 마네로(Tony Manero) 캐릭터는 불확실한 미래를 앞둔 20대 청년들의 모습을 잘 반영했다. 가족의 울타리에서 벗어나 넓은 세상으로 나가 자기 능력을 마음껏 펼치고 싶어 하는 그들의 열망을 표현했다. 토니가 매주 토요일 밤마다 무대에 오르고 일주일 동안 쌓인 스트레스를 춤으로 풀어내는 모습은 당시 젊은 세대들이 추구하던 자유와 해방을 상징적으로 보여줬다.

디스코는 처음에 게이 클럽에서 시작되었고, 그곳에서는 성에 대한 개방적인 태도가 드러났다. 당시 유행하던 음악 장르는 리듬 앤 블루스였지만, 게이 인권 운동의 확산과 더불어 디스코는 더욱 의미 있는 장르로 성장했다. 그들은 함께 춤추며 자신이 게이임을 당당하게 드러냈다. 디스코 음악의 성적 특징을 잘 보여주는 예로는 도나 서머(Donna Summer)의 노래와 빌리지 피플(Village People)의 'Macho Man'이 있다.

빌리지 피플

디스코의 역사는 여러 장르의 독특한 특성을 팝 음악의 규칙적이고 단순한 멜로디와 리듬으로 변형시키고, 다양한 성적 특성을 특정 섹슈얼리티의 체계로 통합시키는 과정이었다. 1980년대 뉴 로맨틱스에 디스코가 영향을 주었다면, 그것은 아마도 디스코 음악의 이런 경향과 성적 특성 때문일 것이다. 디스코의 에로틱한 면모는 디스코를 옹호하는 사람들에게 신체의 물질성과 변화성을 인식하게 하는 계기가 되었다.

(4) 역대 디스코 히트곡과 디스코 뮤지션

1970년대 말, <토요일 밤의 열기(Saturday Night Fever)> 영화의 개봉과 함께 디스코 열풍이 전 지구적으로 불었다. 그로 인해 뉴욕만 해도 1,000개가 넘는 디스코텍이 문을 연 것이다. 홀리데이 인 체인 호텔은 전국에 35개가 넘는 디스코텍을 오픈했고, 페니모어(Fennimore)라는 인구 1,900명의 작은 마을에도 10만 달러를 들여 디스코텍을 세웠다. 고등학생들은 자주 디스코 장소와 롤러 스케이트장을 방문했다. 1978년에는 미국 전체에 있는 2만개가 넘는 디스코텍에서 3천6백만 명 이상이 즐거운 춤을 추었다.

1974년, 글로리아 게이너(Gloria Gaynor)의 'Never Can Say Goodbye'의 대박 성공을 시작으로, 디스코 음악만을 수록한 앨범들이 다수 출시되었다. 1975년에 발매된 도나 서머(Donna Summer)의 히트곡은 차트의 상위권을 차지했고, 이후에도 다수의 디스코 음악을 선보이며 인기를 이어갔다. 심지어는 롤링 스톤즈(The Rolling Stones)나 로드 스튜어트(Rod Stewart) 같은 기존의 가수들도 디스코 스타일의 음악을 선보이기 시작했다. 1978년에 빌보드 차트에 오른 노래 중 20% 이상이 디스코 장르로, 1970년대 후반에는 디스코가 가장 이익을 내는 사업 중 하나로 자리매김했다.

- 디스코 시대(Disco era)의 대표 뮤지션과 히트곡

1972년

[Elton John]의 'Your Song'을 [Billy Paul]이 연주한 음반이 디스코 풍 음악으로서 최초로 히트를 쳤다.

1973년

[Love Unlimitted Orchestra]가 디스코 풍으로 연주한 'Love's Theme'가 차트 탑 10에 진입했다.

1974년

이 해는 보통 디스코의 원년이라 일컬어진다.

[Gloria Gaynor]가 'Never Can Say Goodbye'의 히트로 최초의 디스코 디바가 되었고,

[Donna Summer]의 첫 앨범 'Lady of the Night'가 녹음되었으며, [ABBA]가 'Waterloo'로 성공을 거뒀다.

그 밖의 히트곡으로는

[Shirley & Lee]의 'Shame, Shame, Shame',

[The Hues Corporation]의 'Rock the Boat',

[Carl Carlton]의 'Everlasting Love',

[Carol Douglas]의 'Doctor's Order',

[Barry White]의 'You're the First, The Last, My Everything'이 있다.

1975년

[Donna Summer]의 메가 히트 앨범 'Love to Love You Baby'가 있고, 밴드 [KC & the Sunshine Band], [Earth, Wind & Fire], [Hot Chocolate], [Kool & the Gang], [The Trammps]가 그들의 첫 히트를 기록했다.

[Van McCoy]가 'The Hustle'로 밀리언 셀링을 달성함으로써 최초의 전 세계적 빅히트를 쳤다.

또한, 'Jive Talkin''으로 [Bee Gees]가 차트에 재입성하면서 [Silver Convention]의 'Fly Robin Fly'로부터 유로 디스코 운동이 발생했다.

그 외에 중요한 디스코 히트로는

[Melba Moore]의 'This is it',

[The Trammps]의 'Hold Back the Night',

[Retta Young]의 'Sending Out An S.O.S',

[The Sylvers]의 'Boogie Fever',

[ABBA]의 'Mamma Mia',

[Silver Convention]의 'Fly Robin Fly',

[Penny McLean]의 'Lady Bump',

[Carl Douglas]의 'Kung Fu Fighting'이 있다.

1976년

모타운이 [Diana Ross]의 'Love Hangover'로 첫 디스코 히트를 기록하고 [Diana Ross]는 곧바로 디스코 디바로 등극했다.

[ABBA]가 'Dancing Queen'으로 미국에서 첫 번째로 차트 정상에 올랐으며, 여성 그룹으로서는 처음으로 [Ritchie Family]의 'The Best Disco in Town'과 [First Choice]의 'Doctor Love'가 성공을 거둔 해이기도 하다.

1977년

전 세계를 디스코의 열풍으로 뜨겁게 달군 영화 <토요일 밤의 열기(Saturday Night Fever)>가 개봉하면서 [Bee Gees]는 영화에 삽입되었던 'Night Fever', 'Stayin' Alive'로 전 지구적 디스코 그룹이 되었던 역사적인 해이다.

또한, [Donna Summer]의 'I Feel Love'에서 테크노 음악이 태동했다.

[Chic]의 첫 앨범이 발매되었고, 수록곡 'Everybody Dance'와 'Dance, Dance, Dance'가 히트를 냈으며, The SalSoul Orchestra는 [Loleatta Holloway]의 'Run Away'로 첫 번째 성공을 거둔다.

최초의 흑인 모델인 [Grace Jones]가 'La Vie en Rose'를 포함한 세 장의 싱글로 성공가도를 달리기도 했다.

그 밖의 히트곡으로는

[The Emotions]의 'Best of my Love',

[Earth, Wind & Fire]의 'Fantasy',

[The Trammps]의 'Disco Inferno',

[Carrie Lucas]의 'I Gotta Keep Dancin'',

[Universal Robot Band]의 'Dance and Shake Your Tambourine',

[Roberta Kelly]의 'Zodiacs',

[Jermain Jackson]의 'Let's Be Young Tonight',

[Odyssey]의 'Native New Yorker',

[Andrea True Connection]의 'N.Y. You Got Me Dancing',

[Boney M]의 'Ma Baker'가 있다.

1978년

이 해는 디스코 역사상 가장 풍성한 해이다.

동성애자 디스코 문화의 영향이 [Sylvester]의 히트곡 'You Make Me Feel'과 [Celi Bee]의 'Macho'에서 두드러져 나왔다.

디스코는 또한 집시(Gypsy) 문화의 영향을 받는데 [Santa Esmeralda]의 'Don't Let Me Be Misunderstood'가 좋은 예이다.

자크 모랄리(Jacques Morali)가 프로듀싱한 [Village People]의 'Macho Man'과 'Y.M.C.A'는 디스코 음악 역사상 가장 중요한 노래 중 하나로 기록됐다.

[A Taste of Honey]는 'Boogie Oogie Oogie'로 그래미 신인상을 거머쥐었고, [Patrick Juvet]의 'I Love America', [Sheila & B. Devotion]의 'You Light My Fire', [USA-European Connection]의 'Come into My Heart'는 유로 디스코 운동을 이어갔으며, [Gloria Gaynor]는 디스코 빅 히트곡인 'I Will Survive'로 돌아왔다.

또한, 영화 <Thank God It's Friday>의 삽입곡 'Last Dance'로 [Donna Summer]가 팝 디바의 위치를 재확인 했다. 디스코의 적대자들에 의한 'Disco Sucks campaign'이 발생했으나 성공을 거두지는 못했다.

그 밖의 주요 히트로는

[Karen Young]의 'Hot Shot',

[Musique]의 'Keep on Jumpin'',

[Dee D. Jackson]의 'Automatic Lover',

[Chic]의 'Le Freak',

[Donna Summer]의 'MacArthur Park',

[Blondie]의 'Heart of Glass',

[Tavares]의 'More Than a Woman',

[Voyage]의 'Souvenirs',

[Cheryl Lynn]의 'Got to Be Real',

[Peaches & Herb]의 'Shake Your Groove Thing',

[Evelyn "Champagne" King]의 'Shame',

[The Jacksons]의 'Blame It on the Boogie',

[Foxy]의 'Get off',

[Roberta Kelly]의 'Oh Happy Day',

[Michael Zager Band]의 'Let's All Chant'가 있다.

1979년

[Donna Summer]는 이 한 해에만 'Hot Stuff'가 포함된 다섯곡의 히트를 기록했고, 16세의 어린 디스코 스타 [France Joli]가 'Come to Me'로 히트를 기록했다.

이 해에는 멋진 디스코 듀엣의 활동이 두드러지는데 [Donna Summer & Barbra Streisand]의 'No More Tears', [Rick James & Teena Marie]의 'I'm A Sucker For Your Love', [Earth, Wind & Fire & The Emotions]의 'Boogie Wonderland'가 대중의 마음을 사로잡았다.

버나드 에드워드(Bernard Edward)와 나일 로저스(Nile Rogers)가 유명한 디스코 프로듀서가 되어 [Chic]의 빅 히트 'Good Times'를 내고 [Sister Sledge]의 'We Are Family'와 [Sheila & B. Devotion]의 'Spacer'를 프로듀싱했고 성공을 거두었다. 또한, [The Sugarhill Gang]의 'Rapper's Delight'로부터 랩이 발생했다.

이제 디스코는 [Love Unlimited]와 [Saint Tropez]를 포함한 걸 그룹의 전성시대를 맞이하게 된다.

[Lipps Inc.]의 'Funky Town'이 고전의 반열에 오르기도 했다.

그 밖의 중요한 히트곡으로는

[Claudja Barry]의 'Boogie Woogie Dancin' Shoes',

[Donna Summer]의 'Bad Girls', 'Dim All the Lights',

[Shalamar]의 'Second Time Around',

[Sister Sledge]의 'He's the Greatest Dancer',

[Diana Ross]의 'The Boss'가 있다.

1980년

이 해는 [Olivia Newton-John]의 'Magic'의 해라 해도 과언이 아니다.

[Kool & the Gang]의 'Celebration'이 히트 쳤으며, [Nile Rodgers]와 [Bernard Edwards]가 프로듀싱한 [Diana Ross]의 'I'm Coming Out'과 'Upside Down'이 히트를 기록했다.

그 외에 히트로는

[Stephanie Mills]의 'Never Knew Love Like This Before',

[S.O.S Band]의 'Take Your Time',

[Sharon Redd]의 'Can You Handle It',

[Voyage]의 'I Love You Dancer',

[A Taste of Honey]의 'Rescue Me',

[Teena Marie]의 'I Need Your Lovin'',

[Earth, Wind & Fire]의 'Let's Groove'가 있다.

1981년

[Olivia Newton-John]이 'Physical'로 엄청난 히트를 이어 나갔다.

그러나 디스코 스타들은 명성을 잃어갔으며 이 해에는 뉴에이지 운동이 발생했다.

언급 할 만한 디스코로는

[The B. B. & Q Band]의 'On the Beat',

[Carl Carlton]의 'She's a Bad Mama Jama',

[Odyssey]의 'Going Back to My Roots',

[Kool & the Gang]의 'Get Down On It'과 'Good Time Tonight'이 있을 뿐이다.

1982년

이 해는 디스코 최후의 해이기도 하다.

이 해의 히트로는 [Weather Girls]의 'It's Raining Men',

[Central Line]의 'Walking into Sunshine',

[Boys Town Gang]의 'Can't Take My Eyes off You',

[Evelyn "Champagne" King]의 'Love Come Down',

[Indeep]의 'Last Night a DJ Saved My Life',

[Patrice Rushen]의 'Forget Me Nots',

[Whispers]의 'It's A Love Thing',

[Ritchie Family]의 'I'll Do My Best (For You Baby)',

[Galaxy]의 'Dancing Tight',

[Donna Summer]의 'Love Is in Control'이 있다.

1983년~1985년

이 시기 동안 디스코 아티스트들은 80년대 변화에 발맞추어 그들의 스타일에 수정을 가하며 살아남기 위해 안간힘을 썼으나 아무도 성공하지는 못했다.

이제 디스코 아티스트들은 사라져 자취를 감추었다. 단지 [ABBA]가 1983년 정적을 깨고 나왔을 뿐이다.

1986년

[Boney M], [Boys Town Gang], [Kool & the Gang] 등의 그룹만이 이 시기 생존해 있었다.

1990년대

몇몇 디스코 아티스트만이 아직 남아 순회공연을 했는데, [Donna Summer], [Gloria Gaynor], [Bee Gees], [Earth, Wind & Fire], [Village People], 그리고 [Teena Marie]가 그들이다.

디스코 음악은 크게 3가지로
나누어 볼 수 있다.

1970~80년대의 2가지,
2000년대 이후 1가지이다.

디스코 음악의 3가지 스타일

1. 1970~80년대의 유로 디스코 스타일, 디스코 팝, 대중음악과 댄스음악에 초점을 둔 디스코 음악, 전자음악과 드럼비트 사운드가 돋보이는 디스코 음악

(1) ABBA - “Dancing Queen”

(2) Bee Gees - “Stayin’ Alive”

(3) Donna Summer - “I Feel Love”

(4) Chic - “Le Freak”

(5) Gloria Gaynor - “I Will Survive”

(6) Boney M. - “Daddy Cool”

(7) Village People - “YMCA”

(8) KC and the Sunshine Band - “That’s the Way (I Like It)”

(9) Sister Sledge - “We Are Family”

(10) Earth, Wind & Fire - “September”

(11) The Trammps - “Disco Inferno”

(12) Diana Ross - “Upside Down”

(13) Kool & The Gang - “Celebration”

(14) The Pointer Sisters - “I’m So Excited”

(15) The Jacksons - “Blame It on the Boogie”

(16) Thelma Houston - “Don’t Leave Me This Way”

(17) Barry White - “You’re the First, the Last, My Everything”

(18) Hot Chocolate - “You Sexy Thing”

(19) Lipps Inc. - “Funky Town”

(20) Sylvester - “You Make Me Feel (Mighty Real)”

(21) The Emotions - “Best of My Love”

(22) Amii Stewart - “Knock On Wood”

(23) Patrick Hernandez - “Born to Be Alive”

(24) The Whispers - “And the Beat Goes On”

(25) A Taste of Honey - “Boogie Oogie Oogie”

(스타일마다 50가지 곡 예시를 제시하므로 참고바란다.)

(26) The O'Jays - "Love Train"
(27) Anita Ward - "Ring My Bell"
(28) Ottawan - "D.I.S.C.O."
(29) Van McCoy - "The Hustle"
(30) The Gap Band - "Oops Up Side Your Head"
(31) Rick James - "Super Freak"
(32) The Sugarhill Gang - "Rapper's Delight"
(33) Blondie - "Heart of Glass"
(34) The Weather Girls - "It's Raining Men"
(35) Tavares - "Heaven Must Be Missing An Angel"
(36) Rose Royce - "Car Wash"
(37) Wild Cherry - "Play That Funky Music"
(38) Cerrone - "Supernature"
(39) George McCrae - "Rock Your Baby"
(40) Peaches & Herb - "Shake Your Groove Thing"
(41) Chic - "Good Times"
(42) Donna Summer - "Hot Stuff"
(43) Bee Gees - "Night Fever"
(44) ABBA - "Voulez-Vous"
(45) Gloria Gaynor - "Never Can Say Goodbye"
(46) Boney M. - "Rasputin"
(47) Village People - "In The Navy"
(48) KC and the Sunshine Band - "Get Down Tonight"
(49) Sister Sledge - "He's The Greatest Dancer"
(50) Earth, Wind & Fire - "Boogie Wonderland"

2. 1970~80년대의 클래식한 분위기의 디스코 스타일, 대중음악과는 거리가 있는 오케스트라의 연주가 돋보이는 클래식 사운드와 디스코 리듬을 가지고 있는 음악

(1) Walter Murphy - "A Fifth of Beethoven"
(2) Percy Faith - "Theme from A Summer Place"
(3) MFSB - "Love Is The Message"
(4) Love Unlimited Orchestra - "Love's Theme"
(5) The Salsoul Orchestra - "Magic Bird of Fire"
(6) Biddu Orchestra - "Summer of '42"
(7) John Davis & the Monster Orchestra - "Ain't That Enough for You"
(8) The Ritchie Family - "The Best Disco in Town"
(9) Van McCoy - "The Hustle"
(10) Eumir Deodato - "Also sprach Zarathustra"
(11) Rhythm Heritage - "Theme from S.W.A.T"
(12) Barry White - "Love's Theme"
(13) Herb Alpert - "Rise"
(14) Isaac Hayes - "Theme from Shaft"
(15) Hugo Montenegro - "The Good, the Bad and the Ugly"
(16) George Benson - "Breezin'"
(17) Quincy Jones - "Stuff Like That"
(18) James Last - "Night Drive"
(19) The Trammps - "Zing Went The Strings of My Heart"
(20) The Michael Zager Band - "Let's All Chant"
(21) Lalo Schifrin - "Jaws"
(22) Patrick Juvet - "I Love America"
(23) The Alan Parsons Project - "I Wouldn't Want to Be Like You"
(24) Baccara - "Yes Sir, I Can Boogie"

(스타일마다 50가지 곡 예시를 제시하므로 참고바란다.)

(25) The Three Degrees – “When Will I See You Again”
(26) Chic – “Dance, Dance, Dance (Yowsah, Yowsah, Yowsah)”
(27) Cerrone – “Love in C Minor”
(28) Silver Convention – “Fly, Robin, Fly”
(29) Boney M. – “Rivers of Babylon”
(30) The O’Jays – “I Love Music”
(31) Giorgio Moroder – “From Here to Eternity”
(32) Donna Summer – “MacArthur Park”
(33) KC and The Sunshine Band – “Shake Your Booty”
(34) The Bee Gees – “How Deep Is Your Love”
(35) ABBA – “Fernando”
(36) Gloria Gaynor – “Reach Out, I’ll Be There”
(37) Earth, Wind & Fire – “Fantasy”
(38) The Emotions – “Best of My Love”
(39) The Hues Corporation – “Rock the Boat”
(40) The Miracles – “Love Machine”
(41) The Brothers Johnson – “Stomp!”
(42) The Jacksons – “Enjoy Yourself”
(43) Diana Ross – “Love Hangover”
(44) The Spinners – “Could It Be I’m Falling in Love”
(45) Harold Melvin & The Blue Notes – “Don’t Leave Me This Way”
(46) The Stylistics – “You Make Me Feel Brand New”
(47) The Commodores – “Brick House”
(48) Tavares – “More Than a Woman”
(49) Yvonne Elliman – “If I Can’t Have You”
(50) Thelma Houston – “Don’t Leave Me This Way”

3. 2000년대 이후 누디스코, 디스코 팝, 디스코 리듬을 기반으로 만들어진 음악들, 디스코 리믹스, 하우스 음악과는 구분되는 연주와 퍼포먼스 그리고 디스코 리듬으로 해석되는 음악

(1) Daft Punk - "Get Lucky"

(2) Calvin Harris - "Slide"

(3) Duck Sauce - "Barbra Streisand"

(4) Bruno Mars - "Treasure"

(5) Pharrell Williams - "Happy"

(6) Mark Ronson feat. Bruno Mars - "Uptown Funk"

(7) Justice - "D.A.N.C.E"

(8) Jamiroquai - "Cloud 9"

(9) Tuxedo - "Do It"

(10) Chromeo - "Jealous (I Ain't With It)"

(11) Breakbot - "Baby I'm Yours"

(12) The Weeknd - "Blinding Lights"

(13) Dua Lipa - "Don't Start Now"

(14) Todd Terje - "Inspector Norse"

(15) Flight Facilities - "Crave You"

(16) Roisin Murphy - "Incapable"

(17) Purple Disco Machine - "Dished (Male Stripper)"

(18) The Black Eyed Peas - "I Gotta Feeling"

(19) Katy Perry - "Firework"

(20) Kylie Minogue - "All the Lovers"

(21) Madonna - "Hung Up"

(22) Robyn - "Dancing On My Own"

(23) The Juan Maclean - "Happy House"

(24) Hercules & Love Affair - "Blind"

(스타일마다 50가지 곡 예시를 제시하므로 참고바란다.)

(25) Gorgon City - “Imagination”

(26) Nile Rodgers & Chic - “I’ll Be There”

(27) Scissor Sisters - “I Don’t Feel Like Dancin’”

(28) DJ Koze - “Pick Up”

(29) Classixx - “All You’re Waiting For”

(30) Lindstrøm - “I Feel Space”

(31) Parcels - “Tieduprightnow”

(32) SG Lewis - “Times We Had”

(33) Kungs vs Cookin’ on 3 Burners - “This Girl”

(34) Metronomy - “The Look”

(35) Holy Ghost! - “Wait & See”

(36) The Chemical Brothers - “Got To Keep On”

(37) Tame Impala - “The Less I Know The Better”

(38) LCD Soundsystem - “Dance Yrself Clean”

(39) Gorillaz - “Stylo”

(40) Calvin Harris & Disciples - “How Deep Is Your Love”

(41) Jessie Ware - “Spotlight”

(42) Peggy Gou - “Starry Night”

(43) Mura Masa - “Love$ick”

(44) Krystal Klear - “Neutron Dance”

(45) Lady Gaga - “Stupid Love”

(46) Maroon 5 - “Sugar”

(47) Sophie Ellis-Bextor - “Murder On The Dancefloor”

(48) Moloko - “Sing It Back”

(49) Basement Jaxx - “Romeo”

(50) Fatboy Slim - “Praise You”

디스코에 대해
어느 정도 이해가 되었다면,
왁킹(Waacking)에 대해
알아보자.

왁킹(Waacking)

1970년대 후반, 디스코 음악에 따라 다양한 춤이 나왔는데 당시엔 주목을 받지 못했지만 현재는 스트릿 댄스의 한 장르로 인정받고 있는 것이 바로 왁킹(Waacking)이다. 디스코라는 춤이 얼마나 한정적인지는, 영화 <토요일 밤의 열기(Saturday Night Fever)>에 등장하는 춤만 봐도 알 수 있다. 그중에서도 특히 존 트라볼타(John Travolta)가 혼자서 춘 춤은 대부분 소울 트레인(Soul Train)이라는 방송에서 락킹이나 왁킹 댄서들이 췄던 동작을 차용한 것이었다.

왁킹은 1970년대 초 미국 LA의 흑인과 히스패닉계 게이 클럽에서 처음 생겨난 춤이다. 그 당시 게이 클럽에서는 여성의 복장을 하고 화장을 한 여장 남자들, 즉 드래그 퀸(Drag queen)들이 무대에 올라 여성스러운 춤과 노래하는 공연이 큰 인기를 얻었다. 이들은 그레타 가르보(Greta Garbo), 리타 헤이워드(Rita Hayworth), 마릴린 먼로(Marilyn Monroe) 등 1920년대부터 1960년대까지 활동했던 배우를 모방한 연기를 하기도 했는데, 이런 퍼포먼스가 계기가 되어 왁킹이라는 춤이 생겨났다고 한다.

1970년대 초 당시 LA 지역에서는 파라다이스 볼룸(The Paradise Ballroom), 지노스 원(Gino's I), 지노스 투(Gino's II), 디 아더 사이드(The Other Side), 가스 스테이션(The Gas Station) 등의 게이 클럽들이 성행하고 있었다. 이 곳에서 라몬트 피터슨(Lamont Peterson), 타이론

마릴린 먼로

리타 헤이워드

그레타 가르보

프락터(Tyrone 'The Bone' Proctor), 블링키(Blinky), 미키 로드(Micky Lord) 등의 댄서들이 디스코 비트에 맞춰 팔을 거칠게 휘두르며 왁킹의 토대를 마련했다. 그리고 앤드류 프랭크(Andrew Frank), 데이빗 빈센트(David Vincent), 아서(Arthur), 틴커 토이(Tinker Toy), 존 피켓(John Pickett), 게리 키스(Gary Keys), 드웨인 하그레이브(Dewayne Hargrave), 빌리 굿슨(Billy Goodson), 빌리 스타(Billy Starr), 로니 카바할(Lonnie Carbajal), 에이브 클락(Abe Clark), 마이클 안젤로(Michael Angelo) 등의 댄서들이 함께 초기 왁킹을 확립해 나갔다고 알려져 있다.

지노스 I, II

특히, 1974년, 게이 클럽 중 하나인 파라다이스 볼룸(Paradise Ballroom)에서 마이클 안젤로(Michael Angelo)가 디스코 음악인 'Papa was a Rollin' Stone'을 최초로 플레이했고, 여기에 포즈를 취하는 동작으로부터 펑킹(punking)이 시작되었다고 전해진다. 다른 한편으로는 락커스의 토니 바질 드(Tony Bazil Dee)와 같은 락킹 댄서들이 이들 게이 댄서들과 교류하면서 락킹과 왁킹을 접목시켜 '이성애자들의 왁킹'이라고 할 수 있는 펑킹(Punking)을 만들어냈다는 이야기도 전해진다. 왁킹이라는 장르가 락킹에서 파생되어 나온 것이라 잘못 알고 있는 사람들이 많은데, 사실 왁킹은 락킹과는 완전히 다른 형태의 춤이다.

틴커 토이

빌리 스타

아서

빌리 굿슨

로니 카바할

앤드류 프랭크

타이론 프락터

마이클 안젤로

왁킹이라는 이름은 소울 트레인 댄서였던 타이론 프락터(Tyrone Proctor)가 1972년경에 제프리 다니엘(Jeffrey Daniel), 조디 와틀리(Jody Watley), 샤론 힐(Sharon Hill), 클리브랜드 모세스 주니어(Cleveland Moses Jr.), 커트 워싱턴(Kirt Washington) 등과 만든 그룹 '아웃레이져스 왁 댄서스(The Outrageous Waack Dancers)'에서 유래했다. 당시 타이론 프락터

(Tyrone Proctor)는 팀원들에게 춤을 가르치면서 항상 팔을 '후려치듯 내던져야 한다 (Wack = Whack과 동의어)' 고 설명했고, '형편없는, 나쁜'이라는 좋지 않은 뜻이 있는 'Wack'과 구분하기 위해 'a'를 두 개 넣어서 'Waack'으로 써야 한다는 제프리 다니엘(Jeffrey Daniel)의 주장으로 인해 'Waack'이란 단어가 탄생했다고 한다.

그리고, 디스코 열기의 쇠퇴와 함께 1980년대의 에이즈 전염병은 펑킹(Punking) 커뮤니티를 초토화시켰다. 모든 오리지널 펑커(Punkers)들은 AIDS로 사망하거나 살해되었으며 빅터 마노엘(Victor Manoel)은 유일한 살아있는 오리지널 펑커(Punker)로 남았다. 1980년대와 1990년대에 펑킹(Punking)은 대중의 시선에서 사라졌고, 뉴욕과 로스앤젤레스 클럽 씬에는 영화와 TV에 비주류 게스트 출연으로 왁킹의 흔적만 남은 정도였다.

당시 다른 춤에 비해 그리 주목받지 못했던 왁킹은, 타이론 프락터(Tyrone Proctor)와 아돌포 "샤바 두" 퀴노네스(Adolfo "Shabba-Doo" Quinones), 아나 "롤리팝" 산체스(Ana "Lollipop" Sanchez), 브라이언 "풋워크" 그린(Brian "Footwork" Green), 엔젤(Angel), 아우스 "닌자" 옴니(Aus "Ninja" Omni), 사마라 "프린세스" 락커루(Samara "Princess" Lockerooo) 등의 댄서들에 의해 오늘날까지 전해졌고, 2000년대 이후 여성성을 강조한 춤으로써 댄서들에게 다시 주목받기 시작했다.

브라이언 '풋워크' 그린

아돌포 '샤바-두' 퀴노네스

아우스 '닌자' 옴니

사마라 '프린세스' 락커루

아나 '롤리팝' 산체스

사실 왁킹은 디스코 음악과 함께 탄생한 춤들 중 가장 스트릿 댄스적인 특징을 많이 가진 춤 중 하나였기 때문에, 다양한 춤의 접목을 통해 보다 독창적이고 창조적인 춤을 추구하는 스트릿 댄스에서 왁킹을 다시 찾게 된 것은 당연한 일이었다고 할 수 있다.

2000년대에 들어서, 전문 댄서 브라이언 "풋워크" 그린(Brian "Footwork" Green)은 왁킹에 관한 커뮤니티 정보가 부족하다는 점을 인식했다. 그는 뉴욕에서 가르침을 시작하기 위해 오리지널 왁킹 선배(원로)들이 필요하다고 느꼈다. 그들이 브라이언의 제안을 거절하자, 그는 선배(원로)들이 나서서 다시 가르치도록 자극하기 위해 본인이 직접 왁킹을 가르치기로 결정했다.

그는 80년대에 다른 모든 사람과 함께 현장을 떠난 OG Waacker이자 소울 트레인 댄서였던 타이론 프락터(Tyrone Proctor)를 찾았고, 노력 끝에 은퇴에서 벗어나게 해서 후대의 댄서들에게 왁킹을 전수하게 되었다. 그렇게 브라이언은 2003년에 브로드웨이 댄스 센터에서 가르치기 시작해 당시 세대의 다른 많은 댄서들에게 왁킹 동작을 전파했다. 그렇게 왁킹이 다시 한번 주목받게 된 후, 빠르게 전 세계의 댄서들과 디스코 팬들에게 컬트 클래식(Cult classic. 일부 관중에게 고전으로 자리매김한 작품)이 되었다.

비록 왁킹이라는 춤이 처음 등장했을 당시에는 대중들에게 큰 관심을 받지 못했지만, 동성애자들이 추는 춤으로서 그 역사가 시작되었고 이후 펑킹(Punking)이나 보깅(Voguing), 프리스타일 힙합(Freestyle hiphop), 일렉트로닉 댄스(Electronic dance) 등 다양한 장르의 춤에 영향을 끼치며 스트릿 댄스계에 있어서 중요한 위치를 차지하게 되었다.

Brut.
Waacking is
a dance style

WAACKING
DISCO ERA
1970s
Los Angeles
GAY
CLUBS

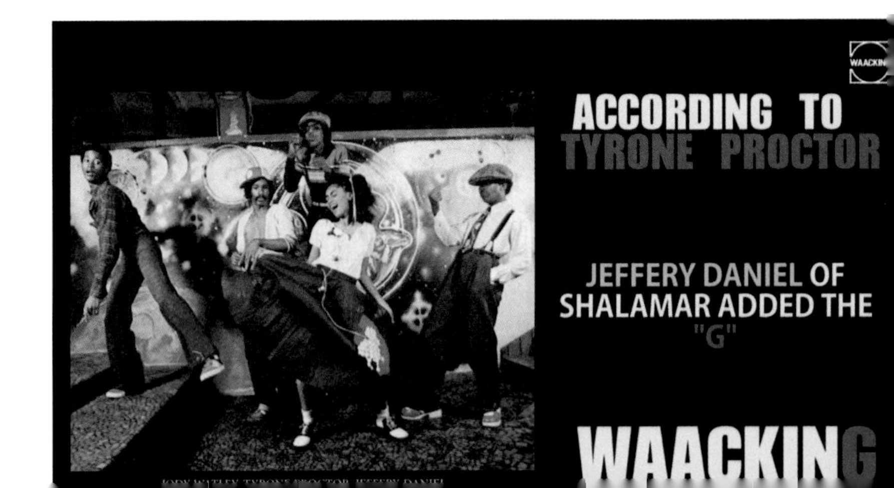
ACCORDING TO
TYRONE PROCTOR
JEFFERY DANIEL OF
SHALAMAR ADDED THE
"G"
WAACKING

1971년부터 2006년까지
전 세계적으로 흑인 음악과
스트릿 댄스를 널리 알린
TV프로그램,

소울 트레인(Soul Train)에
대해 간단히 알아보자.

소울 트레인
(Soul Train)

1971년 10월부터 2006년까지 미국 전역에서 방영되었던 인기 TV 프로그램인 <소울 트레인(Soul Train)>은 1970년대에 전 세계적으로 흑인 음악과 스트릿 댄스를 널리 알리는 데 기여했다. 이 프로그램은 1972년부터 전문 댄서들을 섭외해 고정적으로 출연시켰으며, 이들을 소울 트레인 갱(Soul Train Gang)이라고 불렀다.

소울 트레인 방송이 아직 공중파를 타기 이전의 댄서들에게는 발달한 커뮤니케이션 수단이 없었다. 오직 댄서들은 나이트클럽에서 얻은 정보만을 가지고 있었으며, 짐작하고 추측하여 알맞은 타이밍에 클럽에서 서로의 춤을 확인하고 발전해 나갔다.

돈 코넬리우스(Don Cornelius)가 진행한 <소울 트레인>은 나중에 가끔 백인 아티스트들도 출연했지만 원래는 흑인 음악과 춤을 소개하는 프로그램이었다.

이 프로그램에서 댄서들은 뮤지션의 음악에 맞춰 춤을 추거나, 두 줄로 나란히 선 가운데 차례로 앞으로 나오며 춤을 선보이는 '소울 트레인 라인(Soul Train Line)'이라는 독특한 형태로 그들의 춤을 선보이곤 했다. 참고로, 소울 트레인 댄서들은 프라이드치킨과 탄산음료로 보수를 받았다고 한다.

특히 소울 트레인은 미국 군사 방송인 AFKN을 통해 아시아에도 방송되면서 1970~80년대 한국과 일본의 많은 댄서들에게 큰 영향을 미쳤는데, 당시 사람들은 이를 보고 '소울 댄스'라 부르며 춤을 따라 추었다.

소울 트레인(Soul Train)과
더불어 왁킹을 알리게 한
'아웃레이져스 왁 댄서즈'.

1978년 'Ebony' 잡지에서
다룬 이들을 살펴보자.

아웃레이져스 왁 댄서즈
(The Outrageous Waack Dancers)

왁킹은 소울 트레인(Soul Train) 방송과 더불어 로스앤젤레스를 기반으로 하는 왁킹 댄스 그룹 '아웃레이져스 왁 댄서즈(The Outrageous Waack Dancers)'가 만들어지면서부터 점차 알려지기 시작했다.

※ 아웃레이져스 (Outrageous) : '터무니없는'

1978년 8월호 'Ebony' 잡지 (1945년 시카고에서 존 H. 존슨이 창간한 흑인 대상 패션 잡지)에서 이 그룹을 아래와 같이 다루었다.

<'터무니없는' Waack>

아마 다른 컨템포러리 그룹은 소울 트레인(Soul Train) 텔레비전 쇼의 댄서들이 미국 흑인의 신세대에게 미친 영향만큼은 영향력이 없었을 것이다. 그들의 댄스 동작은 거의 모든 곳에서 모방했으며, 트렌디한 의상과 특이한 헤어스타일도 마찬가지였다. 댄서 중 가장 인기 있는 댄서는 다음과 같다.

제프리 다니엘(Jeffrey Daniel), 타이론 프락터(Tyrone Proctor), 조디 와틀리(Jody Watley), 샤론 힐(Sharon Hill), 클리브랜드 모세스 주니어(Cleveland Moses Jr.), 커트 워싱턴(Kirt Washington) 이었다. 제프리

The 'Outrageous' Waack

Familiar to 'Soul Train' viewers, they set young feet in motion

PERHAPS no other contemporary group has had the impact on its peers which the dancers on the *Soul Train* television show have had on the New Generation of Black Americans. Their dance movements have been copied almost everywhere, and so have their trendy clothing and unusual hairstyles. Among the most popular of the dancers have been Jeffrey Daniel, Tyrone Proctor, Jody Watley, Sharon Hill, Cleveland Moses Jr. and Kirt Washington, who now call themselves the Waack Dancers—"An outrageous name we thought up," Daniel says.

"Outrageous" is a word the Waacks like; they feel that it describes themselves, their costumes and their dance routines, and so they wear "outrageous" things made of silver lamé, they do "outrageous" kick-splits on the dance floor, and they have traveled from Los Angeles to such "outrageous" far-away places as Kansas and Canada to stage their "outrageous" shows. They want to tour college campuses this fall to put on their show and teach their unique dance routines.

"I suspect that most of the young Black people from 18 to 30 in the whole country have seen *Soul Train* over the years," says Daniel, "and that's really where all of us got into creating the new dances as well as the things we wear." The *Soul Train* dancers, first assembled by producer-host Don Cornelius for his televised disco show in 1969, were first seen locally on a Chicago TV station, then moved to national syndication via their Los Angeles base the following year. Many will

64 EBONY • August, 1978

다니엘(Jeffrey Daniel)은, *"우리가 생각한 터무니없는(Outrageous) 이름인 'Waack Dancers'"*라고 했고, 그들은 스스로를 그렇게 불렀다.

"터무니없는"이라는 말은 Waacks가 좋아하는 단어다. 그 단어가 자신과 의상, 댄스 루틴을 설명한다고 생각하여 은색 Lame(라메. 금실, 은실을 엮어 만든 천)로 만든 '터무니없는' 옷을 입고, 댄스 플로어에서 '터무니없는' 킥스플릿(Kicksplit)을 하고, 로스앤젤레스에서 캔자스와 캐나다같이 '터무니없이' 먼 곳으로 건너가서 '터무니없는' 쇼를 선보였다. 그들은 대학 캠퍼스를 순회하며 공연을 펼치고 독특한 댄스 루틴을 가르치기를 원했다.

제프리 다니엘(Jeffrey Daniel)은 *"전국의 18세에서 30세 사이의 젊은 흑인 대부분이 수년에 걸쳐 소울 트레인(Soul Train)을 본 적이 있을 것으로 생각합니다. 그리고 이것이 바로 우리 모두가 입는 옷뿐만 아니라, 새로운 춤을 만들게 된 곳입니다."*라고 말했다.

1969년 TV 디스코 쇼를 위해 프로듀서 겸 진행자 돈 코넬리우스(Don Cornelius)가 처음 모은 소울 트레인 댄서(Soul Train)들은 시카고 TV 방송국에서 지역적으로 선보인 후, 다음 해 로스앤젤레스 기지를 통해 전국적으로 퍼졌다.

Dancers

Dance steps of the New Generation are demonstrated by The Waack Dancers, a Los Angeles group familiar to viewers of the TV show, *Soul Train*. On opposite page, top, the Waacks are (l. to r.) Kirt Washington, 16, Tyrone Proctor, 24, Jeffrey Daniel, 22; Jody Watley, 19, and Cleveland Moses, 22. The dancers, who describe themselves, their costumes and their dance steps as "outrageous," strike an "outrageous" pose at Maverick's Flat, a popular Los Angeles disco, and (clockwise) Daniel unleashes one of his "outrageous" kicks; the Waacks practice on the Maverick's Flat basketball court; Cleveland "gets down" with June Finch (r.) as Benita Taylor and Ricky (Orca) Parchia look on, and Daniel and Watley do the "Spank."

<Dancers>

TV 쇼인 소울 트레인(Soul Train) 시청자들에게 로스앤젤레스 그룹인 Waack Dancers가 신세대의 댄스 스텝을 시연한다.

Waack 가족은 커트 워싱턴(Kirt Washington, 16세), 타이론 프락터(Tyrone Proctor, 24세), 제프리 다니엘(Jeffrey Daniel, 22세), 조디 와틀리(Jody Watley, 19세)와 클리블랜드 모세스 주니어(Cleveland Moses Jr., 22세)다.

자신과 의상, 댄스 스텝을 '터무니없다'고 표현하는 무용수들은 로스앤젤레스의 인기 있는 디스코인 매버릭스 플랫(Maverick's Flat)에서 '터무니없는' 포즈를 취한다.

다니엘은 그의 '터무니없는' 발차기 중 하나를 펼친다. Maverick's Flat 농구 코트의 Waacks 연습. Cleveland는 Benita Taylor와 Ricky(Orca) Parchia가 지켜보는 가운데 June Finch(r.)와 함께 "다운"되고 다니엘(Daniel)과 와틀리(Watley)는 "Spank"를 한다.

은색 라메로 만든 "우주복"을 입고 한 쌍의 팬을 빙빙 돌리는 조디 와틀리(Jody Watley)는 댄스 루틴 중에 스플릿 킥을 하고, 타이론 프락터(Tyrone Proctor)는 "Waack" 프리스타일로 팔과 몸을 빙빙 돌리며, 클리블랜드 모세스 주니어(Cleveland Moses Jr.)는 "Locking"의 다양한 동작을 한다. "Locking"은 로스앤젤레스 댄스 그룹인 'The Lockers'가 소울 트레인(Soul Train)에서 유명하게 만든 춤이다.

<WAACK dancer들은 계속되었다>

조디 와틀리(Jody Watley)가 쇼에서 댄서로서의 역할을 통해 미국 전역의 10대 소녀들에게 어떻게 영향을 미쳤는지 생각해보라. 그녀의 댄스 파트너이자 약혼자인 다니엘(Daniel)은 이렇게 말했다.

"그녀는 머리에 컬러 리본을 많이 사용하기 시작했고 보통 두 갈래의 포니테일로 했는데, 곧 전 세계의 소녀들이 그녀의 머리 스타일을 따라했을 뿐만 아니라 그녀에게 모발 케어와 다른 것들에 대한 내용으로 편지를 써서 보내기도 했습니다. 조디는 'Shag', 'Page boy', '버섯처럼 보이는 룩'을 입곤 했는데, 아무래도 많은 소녀들이 그녀처럼 머리를 고치기 위해 거울로 달려갔을 거라 생각합니다."

조디(Jody)의 또 다른 혁신은 댄스 루틴에 팬을 활용하는 것이었다. 이제 대도시에 있는 디스코장을 방문하면 젊은 여성들이 도나 서머(Donna Summer)나 나탈리 콜(Natalie Cole)의 끊임없는 비트에 맞춰 붕붕거리는 팬들과 함께 밤새 춤을 추는 모습을 흔히 볼 수 있었다.

Waack dancer인 타이론 프락터(Tyrone Proctor)와 그의 파트너인 샤론 힐(Sharon Hill)의 댄스 스텝은 대부분의 신세대에게 그 기준을 세웠을

Wearing a "space suit" of silver lamé and twirling a pair of fans, Jody Watley executes a split-kick during a dance routine, while (center) Tyrone Proctor has arms and body atwirl in a "Waack" freestyle, and Cleveland Moses does a variation of "Locking," a dance made famous on *Soul Train* by the Los Angeles dance group, The Lockers.

THE WAACK DANCERS Continued

recall how Jody Watley influenced teen-age girls all over the U.S. through her role as a dancer on the show. Daniel, who is her dance partner and fiance, says: "She started using a lot of colored ribbons in her hair, which she usually does in two ponytails, and soon girls everywhere were not only copying her hair-style but were writing to her with questions about hair care and other things. Jody would wear the 'Shag' or the 'Page Boy' or the 'Mushroom Look,' and I imagine a lot of girls rushed to their mirrors to fix their hair just like hers." Another of Jody's innovations was the use of fans in her dance routines. Now it is not uncommon to visit a big-city disco and find young women dancing the night away with fans whirring to the unrelenting beat of Donna Summer or Natalie Cole.

The dance steps of Waack Dancer Tyrone Proctor and his partner, Sharon Hill, have not only set a standard for most of the New Generation, they also turned up in some not too thinly disguised routines by John Travolta in the movie *Saturday Night Fever*. And one of the dancers in the new film *Thank God It's Friday* admits copying Proctor's robot-like moves and his kicks and lunges.

The Waacks and a number of their friends from *Soul Train* are now teaching their routines to students at the Soul Train Dance Studio in Hollywood (students include Donna Summer and Cicely Tyson), and so many persons have applied for lessons that additional studios may soon open in cities across the U.S. —adding further proof of the influence that the energetic young dancers have exerted on a disco-crazed nation.

"Freestyling" is how the Waack Dancers describe the spontaneous movements of June Finch, who is being "fanned on" by Waacker Jody Watley.

66 EBONY • August, 1978

Continued on Page 68

뿐만 아니라, 영화 <토요일 밤의 열기(Saturday Night Fever)>에서 존 트라볼타(John Travolta)의 살짝 바꾼 루틴에도 등장했다. 그리고 새 영화 <Thank God It's Friday>의 댄서 중 한 명은 타이론 프락터(Tyrone Proctor)의 꼭 로봇과 같은 동작과 발차기와 찌르기를 모방했다고 인정했다.

The Waacks와 소울 트레인(Soul Train)의 많은 친구들은 헐리우드의 'Soul Train Dance Studio'에서 학생들에게 자신의 루틴을 가르치면서, (학생으로는 Donna Summer와 Cicely Tyson이 포함됨) 추가로 수업을 신청한 사람이 너무 많았다. 곧 미국 전역의 도시에 스튜디오가 문을 열 예정이었으며, 이는 활기 넘치는 젊은 댄서들이 디스코에 열광하는 국가에 끼친 영향력에 대한 증거이기도 했다.

"Freestyling"은 Waacker Jody Watley에 의해 '부채질하는' June Finch의 자연스러운 움직임을 Waack Dancers가 묘사하는 방식이다.

왁킹의 특징을
3가지로 나누어 살펴보자.

1. 외형적 특징
2. 사회적 특징
3. 내면적 특징

왁킹의 특징

1. 외형적 특징

왁킹은 손과 팔의 움직임이 감정을 표출하는데 큰 부분을 차지한다. 그렇게 인간의 다양한 젠더 정체성 및 감정들이 제스처나 포즈 및 애티튜드(Attitude)로 나타나는 춤이다. 게이 문화에서 파생되었다고 해서 약하거나 부드러운 움직임만으로 표현되지 않는다. 왁킹의 선구적 인물들은 모두 그들만의 독특한 움직임 방식과 테크닉을 썼으며, 특히 팔과 손을 음악의 비트에 맞추어 빠르게 때리고, 치고, 뻗고, 회전시키는 등의 움직임을 주로 보여주었다.

소울 트레인(Soul Train) 쇼에서의 타이론 프락터(Tyrone Proctor)는 빠른 팔동작, 특유의 무표정함과 상반되는 신사적인 애티튜드와 느슨한 턴을 보이기도 하고, 때로는 파트너십을 활용하여 바닥을 구르기도 했다. 롤리팝(Lollipop)은 브레이킹(Breaking) 댄스 기반의 다큐멘터리 '브레이킨 앤 엔터링(Breakin' n Enterin, 1983)'과 프랑스의 세계 배틀 대회 '저스트 데붓(Juste Debout, 2006)' 등에서 다이나믹한 락킹 스타일에 왁킹의 움직임을 첨가하여 노련하고 빠른 팔동작과 섹시한 포즈들을 결합하여 더욱 강렬하게 보여주었다.

왁킹은 때때로 여성적으로 여겨지는 부드럽고 섬세한 움직임이 남성에게서 보이기도 하고, 반대로 강인하고 에너지 넘치는 움직임이 여성에게서 표현되기도 한다. 또한 성별의 경계를 넘나들며, 발레 기술이나 체조, 아크로바틱 기술 등이 사용되기도 한다. 최근에는 다양한 장르의 움직임과 기술이 혼합되어져 표현되며, 이에 따라 왁킹은 더욱 복잡하고 다양한 움직임을 보여준다.

대부분의 무용이 사람의 내면과 사상을 표현하는 데 초점을 맞추고 있지만, 움직임 측면에 있어서 왁킹이 다른 장르의 춤과 구분되는 특징이 있다면, 왁킹은 표정뿐만 아니라 손과 팔의 움직임이 인간의 감정을 표출하는 신체의 특정 부위로서 큰 부분을 차지한다는 점이다. 손의 움직임을 통해 다양한 감정을 표현하고, 손가락의 각도나 손이 닿는 부위에 따라 무용수(왁커)의 춤과 퍼포먼스의 분위기가 바뀔 수 있다.

또한 팔의 움직임 하나하나가 음악을 구성하는 여러 가지 요소를 더욱 충실하게 표현한다는 점도 중요하다. 특히 가사가 있는 음악에서는 가사와 멜로디에 맞춰 움직임을 취하는데, 단지 음악의 타이밍에 맞게 움직이는 것이 아니라 마치 그 뮤지션이 된 것처럼 손짓이나 립싱크 혹은 포즈와 같은 드라마틱한 연기(Acting)를 보여주기도 한다.

현대의 왁킹 스타일은 초기의 왁킹 스타일에 비해 외형적으로 많은 부분이 변화했고, 다른 장르와의 접목을 시도하여 표현하기도 하므로 형태적으로 더욱 복잡하고 다양한 움직임을 보여준다. 따라서 왁킹에서 사용되는 모든 동작에 대하여 일반화하는 것에는 무리가 있다. 그러나 왁커들의 다양한 움직임 중에서도 공통으로 자주 사용되는 신체 표현이 있다. 이 장에서는 왁킹에서 자주 쓰이는 대표적인 세 가지 동작인 왁(Waack), 트월(Twirl), 포즈(Pose)에 대해 설명하겠다.

(1) 왁(Waack)

왁킹 댄스에서 가장 대표적인 동작인 왁(Waack)은 타이론 프락터(Tyrone Proctor)에 의해 널리 알려졌다. 이 동작은 '찰싹 때리다', '후려친다'라는 의미를 가지고 있으며, 양팔을 크게 열었다가 닫는 '개방형'과 음악의 모든 비트에 맞춰 팔로 때리거나 휘두르는 '타격형(Flailing arms)'이라는 두 가지 형태로 나뉜다.

'개방형'은 국내에서 '익스텐션(Extension)'이나 '익스텐드(Extend)'라고 부르며, 마치 고무줄의 탄성을 이용한 듯한 움직임으로 양팔을 뻗었다가 닫는 동작이다. 양팔을 동시에 사용하거나 한 팔씩 번갈아 가며 사용할 수 있다. 한 팔씩 사용할 때는 보통 한 팔은 45도 각도로 뻗고, 다른 팔은 어깨를 짚는 형태를 취한다.

상체는 팔을 뻗은 쪽으로 하체와 분리(Isolation)하여 움직이거나, 정면을 유지하면서 홀딩(Holding)한다. 가슴, 허리, 골반의 라인을 이용해 굴곡을 극대화해 표현할 수 있으며, 팔을 뻗는 동안 스텝을 밟거나 워킹을 사용해 팔과 다리의 움직임을 조화롭게 만든다.

'타격형'은 팔 전체 또는 전완부를 사용해 음악의 비트에 맞춰 팔을 휘두르거나 때리는 듯한 움직임과 제스처를 취한다.

(2) 트월(Twirl)

트월은 팔꿈치와 어깨 관절이 중심이 되는 팔동작으로, 팔을 위로 감았다가 아래로 풀어주는 형태가 기본이다. 트월에서는 상체의 그루브(Groove)와 가슴을 내밀어주는 반동으로 팔의 빠른 회전력을 만드는 것이 중요하다. 팔의 회전 움직임은 왁킹과 같은 시기에 탄생한 락킹(Locking) 장르에서도 보인다. 하지만 프로페셔널 왁커 아우스 닌자(Aus Ninja,

1982~)는 *"왁킹 댄스의 움직임은 동작을 수행할 때 보이는 여성성(Feminity)으로 인식되므로, 팔의 움직임이 비슷하더라도 락킹과 혼동될 필요는 없다"*고 말했다.

트월은 주로 싱글(Single), 더블(Double), 크로스(Cross) 형태로 표현되며, 다양한 방향의 회전 움직임을 혼합하여 빠른 속도감을 보여준다.

(3) 포즈(Pose)

왁킹은 원래 '포징(Posing)'이라는 이름으로 대표되는 포즈(Pose)의 움직임에서 출발했다. 포즈는 주로 음악의 메인 비트에 맞춰 자세를 취하며, 상반신에서는 도도한 시선, 팔과 손, 손가락을 이용한 다각적인 앵글, 몸통의 다차원적인 각도와 레벨 조절을 표현한다. 하반신에서는 체중 이동을 활용한 골반의 위치 변화, 다리의 선을 이용한 다양한 선형의 정지 동작, 패션(Fashion) 스타일 및 화려한 외관 등이 퍼포먼스의 일부로 나타난다.

포즈(Pose)는 패션모델의 스타일리쉬한 정지 동작과 같은 형태로,

개인적 체험보다는 그레타 가르보(Greta Garbo), 마릴린 먼로(Marilyn Monroe)와 같은 여성 뮤지션이나 영화 배우, 모델, 드랙 퀸(Drag queen)의 스틸사진 이미지를 참조한 정지 동작이나 움직임을 뜻한다. 왁커들은 동작 사이에 자주 포즈를 사용하는데, 이는 여성적인 몸짓, 여성미, 다양한 여성적 표정 등의 여성 이미지와 관련된 태도를 통해 자신의 이미지를 조작하고 변화시키며, 다양한 캐릭터를 표현하는 방식으로 사용된다.

왁킹에서 보이는 대표적인 포즈들은 대부분 상체를 곧게 세우고, 손가락, 손목, 팔꿈치, 골반, 무릎 등의 관절 각도를 변화시켜 포즈의 드라마틱한 반전이나 변화를 만든다. 서 있는 포즈에서 시작해 무게 중심을 낮추거나 앉은 포즈, 다리를 중심으로 연출한 포즈 등으로 다양하다.

2. 사회적 특징

왁킹은 앞서 설명한 디스코와 1970년대의 시대적 상황으로 알 수 있었듯이, 사회적 혼란과 역경, 다변화 시대 속에서 탄생했다. 1960년대에 태어난 세대들은 1970년대 초 국제적 공황으로 급변하는 현실 속에서 자신의 생계를 위한 인생을 살아가기 시작했다.

그 후, 많은 젊은이가 자기중심적인 소비와 쾌락을 추구하게 되었고, 자신을 돋보이게 하기 위해 클럽 문화에 몰두하게 되었다. 이는 억압적인 시대를 벗어나 제약을 넘어 기회를 얻는 공간으로 여겨졌기 때문이다. 춤과 음악도 마찬가지로 개인의 성적 매력이나 섹슈얼리티를 드러내는 것들이 주목받았다.

1970년대에서 80년대를 잇는 디스코 음악 또한 행복감을 주기에 적합한 리듬이 주를 이루었으며 가사 역시 행복과 춤, 사랑 등에 대한 갈망이 눈에 띄게 표현되었다.

3. 내면적 특징

왁킹은 원래 게이 커뮤니티에서 시작되었지만, 현재는 성적 지향, 인종, 국적에 상관없이 스트릿 댄스의 한 분야로서 전문성을 발휘하는 춤으로 발전했다.

현재의 왁킹은 초기 형태에 비해 많은 요소가 추가되어 더욱 자유롭고 복잡한 형태를 취하고 있다. 그러나 왁킹의 본질인 젠더 정체성 표현을 추구하는 것은 변하지 않았다. 단지, 사람들이 자신만의 다양한 방식으로 이를 표현한다.

초기 왁커들은 자신들이 갖고 있던 해방감, 행복감, 자유로움 등을 춤으로 표현하고자 했으며, 이러한 감정들을 당시 유행하던 음악과 연결하여 멜로디, 리듬, 개인의 느낌 등 다양한 방법으로 표현했다.

음악과의 합일성과 유희적 표현을 통해 시너지 효과를 극대화하고, 자신과 관객에게 카타르시스를 선사했다. 후려치고, 때리는 듯한 움직임과 빠른 팔동작은 시원한 쾌감을 제공하면서, 내면의 불특정한 존재와 감정에서의 해방과 해소를 가능하게 했다.

미국 사회 분위기와 상황,
펑킹, 포징, 왁킹에 대해
당시 활동하던 분들의
인터뷰를 유튜브 기록으로
살펴보자.

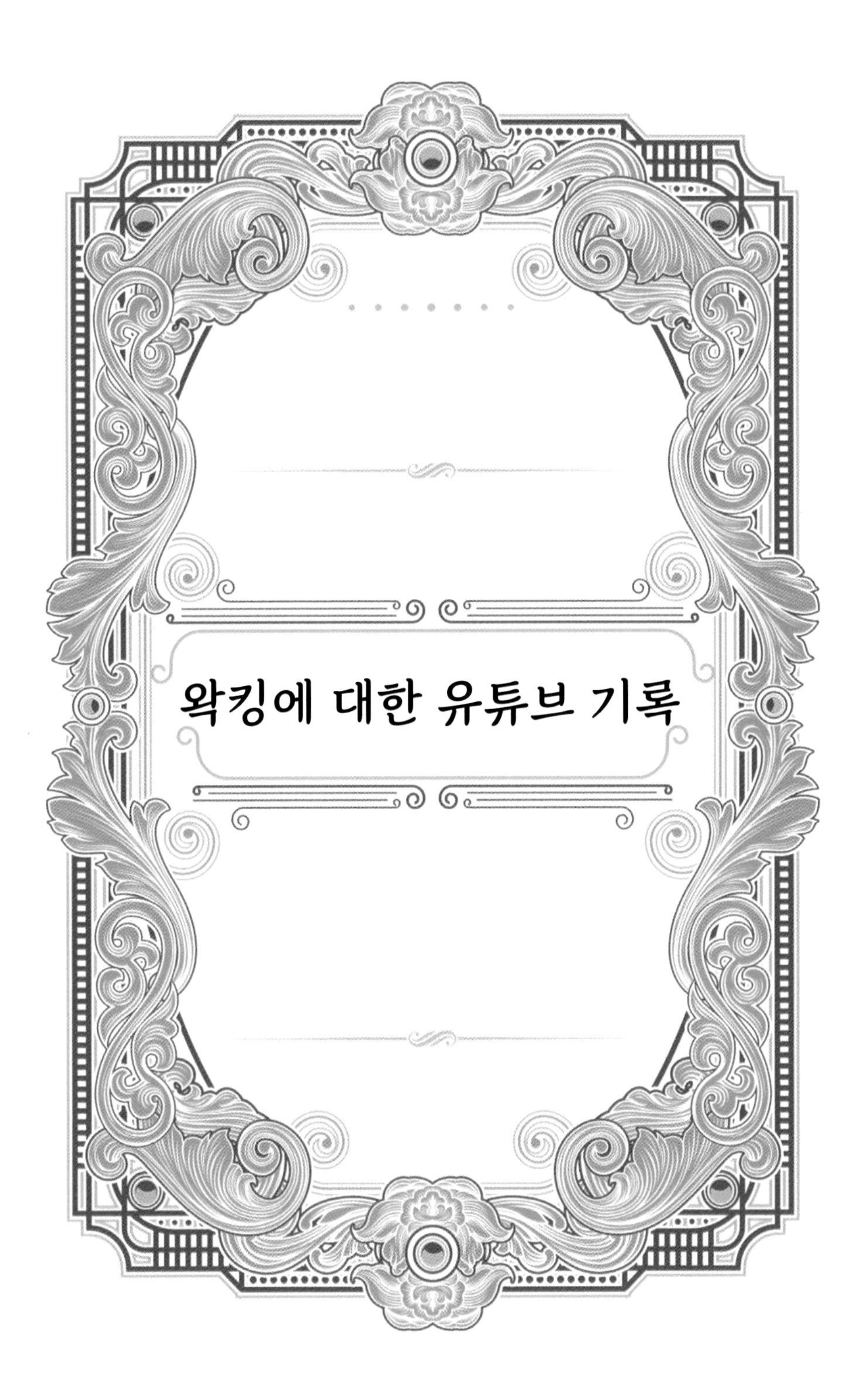

왁킹에 대한 유튜브 기록

1. 왁킹의 탄생 배경

(1) 게이 문화와의 관련성

1960~70년대에는 동성애자에 대한 인식이 좋지 않았고 사회에서 무관심했으며, 때로는 가족들에게조차 인정받지 못했다. 또한, 그들은 허가가 난 특정 클럽을 피난처처럼 이용했다. 그곳에서만이 그들이 유일하게 자신의 모습 그대로 있을 수 있었기 때문이었다. 이러한 게이 문화와 밀접한 관계를 맺으며 펑킹(Punking)과 왁킹이 게이들의 커뮤니티에서 발생했다.

<인터뷰 내용>

빅터 마노엘

…(생략) 그 후에 괴롭힘이 들어오기 시작했는데 왜냐하면 내가 내 자신이 게이라는 걸 알게 되었다. 1960~70년대에는 내가 게이인 걸 스스로 인정하더라도 이를 표현할 곳이 없었다. 지금과는 달리 자신이 자신이기 위한 사회적 환경이 되지 않았다. 그리고 아버지가 알아내시고 말을 팔아버리고 아버지랑 싸우고 나서 고등학교 친구를 만나서 하이랜드 지역의 'Parallel's problem' 게이 클럽에 갔다.

(빅터 마노엘, https://youtu.be/hdUJlNoFhsk)

펑킹은 게이였던 우리들 무리에 의해 만들어진 춤의 형태이다.

(빅터 마노엘, https://youtu.be/xBr9xZKYAwI)

…(생략) 내가 대중적인 왁킹 상을 받을 때 같은 달 5명의 미국 아이가 게이라는 이유로 자살하기도 했다. 그래서 난 내 친구들과 함께 출구를 찾지 못하는 이러한 아이들을 위한 춤의 목소리에 헌신했다. 아무도 알고 싶어하지 않았다. 그 후 나는 중동의 2명의 아이가 서로 사랑했다는 이유로 교수형에 당하는 것도 보고, 우리는 게이 남성으로써 아직도 결혼할 수 없다.

(빅터 마노엘, https://youtu.be/ZRs63Gc6Zt)

…(생략) 대부분의 이 문화를 즐기는 사람들은 살고 자라온 주변 환경 때문일 것이다. 적어도 나의 경우에는 범죄가 잦았고, 금전적으로 어렵고 어떠한 방법으로도 그런 상황에서 벗어나기 힘들었다. 그래서 70년도 초기에 전문적인 댄스 크루인 소울 트레인을 창시했다.

(샤바두, https://youtu.be/LKifYHtyrrI)

펑킹과 포징은 로스앤젤레스의 게이 무리에서부터 시작되었다.

(샤바두, https://youtu.be/6rIq11mWsOQ)

…(생략) 시민 권리 시위가 시카고에서 한창일 때 사람들이 물세례를 받고 개들을 풀어서 사람들을 잡는 것을 보았다. 내 생각에는 그런 비슷한 1960년대의 상황들의 역경들이 (생략)…

(샤바두, https://youtu.be/y4V5LfUMMGk)

…(생략) 제 생각에는 이건 70년대 초반에 스페인의 어린 흑인 게이들이 그들만의 장소가 없었기 때문에 생겨났다고 생각한다. 그래서 그들은 클럽에 가서 쫓겨나는 상황에 처하게 되었다. 왜냐하면 아마 당신도 알듯이 70년대에 그들은 게이 집단에 대해 친절하지 못했으니까.

(타이론 프락터, https://youtu.be/AWg7iPD9ui0)

왁킹은 이른 70년대 West coast에서 게이 커뮤니티를 통해 시작했고, (생략)…

(타이론 프락터, https://youtu.be/wMNPtv0dnX8)

…(생략) 내가 게이 커뮤니티를 통해 아는 댄서들은, 70년대는 어려움을 겪었다. 공간도 없었고, 허가가 났을 때, 그들은 종종 클럽에 갔다. 클럽은 피난처처럼 이용했고, 특정 클럽에 가면서, 클럽은 놀림당하지 않고 그들 그 자체로 있을 수 있는 유일한 공간이었다.

(타이론 프락터, https://youtu.be/7XLgM5R0RdA)

왁킹이라는 춤이 게이 집단에서 탄생한 춤이기 때문이다.

(타이론 프락터, https://youtu.be/Cb0zQNK-meo)

74년도 말 때쯤에… 이성애자 클럽에 갔는데, 게이 댄서들이 특이한 춤을 추는 것을 봤다. 그때 당시에는 그 춤을 왁킹이라고 부르지 않고, 펑킹이라고 불렀다.

(아나 롤리팝 산체스, https://youtu.be/n5944iSy5Lc)

…(생략) 70년대에는 거의 유일한 표현 방식이었다. 그때만 해도 게이들에 대한 편견이나 차별이 심했고, 길거리에서 자기들의 진짜 모습을 표현 못 하는 분위기였다.

(아나 롤리팝 산체스, https://youtu.be/n5944iSy5Lc)

(2) 디스코 음악과의 관련성

1970년대 초반에 생겨난 왁킹과 디스코 음악은 밀접한 관계가 있다. 이에 대해 디스코 음악이 왁킹과 관련해서 끌어내 오게 되었다는 의견과 디스코 음악에 맞추어 왁킹이 생겨났다는 의견으로 나뉜다.

<인터뷰 내용>

디스코 음악은 왁킹과 관련해서 끌어나오게 되었고, (생략)…

(빅터 마노엘, https://youtu.be/C11VsxtJKRE)

'무도회 리듬 2-4-6-8 인것 알고 있니? 그리고 왁킹은 1-3-5-7 인거?'

(빅터 마노엘, https://youtu.be/jhttJ4NNBBw)

왁킹은 70년대 초반에 생겨났다. 그리고 이건 소위 언더그라운드 음악이라는 특정한 종류의 디스코 음악에 맞춰 생겨났다.

(타이론 프락터, https://youtu.be/AWg7iPD9ui0)

…(생략) 그리고 특정한 때에는, 음악이 바뀌기 시작했는데, 발라드나 R&B에서, 언더그라운드 디스코라고 부르는 음악으로 바뀌었다.

(타이론 프락터, https://youtu.be/7XLgM5R0RdA)

West 와 East coast 간의 차이점은, West는 주로 많은 비트를 통한 것이고, East는 주로 많은 느낌으로 춰진다는 것이다. …(중략) 주로 언더그라운드 디스코인 음악이고, 디스코는 라디오에 들었던 Y.M.C.A가 아니라, 'Clouds', 'Magic bird of Fire' 등 이러한 디스코를 말하는 것이다. …(중략) 70년대

초반에는 더 펑크했고, 하지만 디스코는 언더그라운드였다. 디스코는 몇몇 특정한 클럽에서만 틀었고, 내가 앞서 말한 것처럼, 음악은 춤의 큰 요소 중 하나이다.

(타이론 프락터, https://youtu.be/wMNPtv0dnX8)

클럽은 언더그라운드 디스크였고, 소울 트레인에서는, 노래가 조금 바뀌어서 좀 더 펑크와 소울이었고, 결국 디스코로 발전하였다. 나는 다른 사람들이 그 노래(펑크, 소울)에 왁킹을 하려고 시도하는 것을 본다. 원래의 음악 소스는 디스코였다.

(타이론 프락터, https://youtu.be/xlUaBJiVGKE)

왁킹은 비트에서 기원했다. 이 춤은 디스코 음악에서 나왔다. 모든 춤은 음악에서 만들어졌다. 그리고 왁킹을 만들어낸 음악은 디스코였다. 왁킹은 굉장히 박자 기반이다. 모든 것이 비트와 연관이 있고 (생략)…

(타이론 프락터, https://youtu.be/PxOhNK6hrCI)

2. 형성 과정

(1) 대표적인 인물

공통으로 언급된 인물로는 앤드류, 아서, 틴커, 마이클 엔젤로가 있으며, 그 외의 인물로는 빌리스타, 차나달, 로니, 토미, 글롭, 페이베이, 조조, 조니, 환, 블리자드 우먼, 콰트니, 맥 등이 있었다.

<인터뷰 내용>

달라스 지글러

놀라운 그룹의 사람들 앤드류, 아서, 빌리스타, 차나달, 로니, 마이클 엔젤로, 틴커, 그리고 토미도 아직 하는 듯하고, 그리고 글롭이 있었고, 페이베이, 조조, 조니, 환, 블리자드 우먼, 콰트니가 있었다. 오리지널 펑커들이다.

(빅터 마노엘, https://youtu.be/FUL6PVdrwkM)

주요 인물들을 언급하자면 앤드류, 아서, 팅커, 맥, 엔젤로.. (생략)…

(달라스 지글러, https://youtu.be/N6phaHSrZZo)

(2) 용어의 도입 및 정의

왁킹이라는 용어의 변화는 크게 펑킹(Punking), 포징(Posing), 왁킹(Whacking, Waacking) 3가지가 있다.

첫째, 펑킹이라는 단어는 이 움직임을 하던 사람들이 게이들이었기 때문이었으며 이 단어 안에는 부정적인 의미가 내포되어 있다. 이 때문에 그들은 단어의 부정적인 함축을 긍정으로 바꾸고자 했다.

둘째, 포징은 펑킹을 하던 도중 나오게 되었다.

셋째, 왁킹은 부정적인 함축과 차이점을 만들고자 생겨났다.

<인터뷰 내용>

펑킹이 원래 오리지널 이름이다. 그때는 태도가 중심이 된 움직임이었다.

(빅터 마노엘, https://youtu.be/hdUJlNoFhsk)

펑킹은 게이였던 우리들 무리에 의해 만들어진 춤의 형태이다. 아이러니하게도 이건 펑킹이라 불린 이유가 그게 우리였기 때문이다. 요즘 말로 펑킹은 '호모 짓'이라는 말이기 때문이다. 그래서 우리는 부정적임을

긍정적으로 바꾸기로 했다. 그래서 우리가 춤추는 걸 보면 재네는 펑크고 펑킹하고 있다고 했다.

(빅터 마노엘, https://youtu.be/xBr9xZKYAwI)

…(생략) 그래서 사람들이 우리가 춤추는 걸 봤을 때, Punk가 따라온 이유는 우리가 모두 게이였기 때문이다.

(빅터 마노엘, https://youtu.be/2fQlK-eRF2s)

…(생략) 이게 펑크, 펑킹이라고 불렸다는 것이다. 이는 백과사전에 남자 동성애자를 뜻하는 뜻으로 나온다.

(빅터 마노엘, https://youtu.be/goXHHt65SRQ)

이것은 보통(이성애자)의 커뮤니티에서도 락커들을 통해 인기 있게 되었고, 락커들이 이것을 펑킹이라 칭했다. 펑킹과 왁킹은 기본적으로 같은 것이지만, 펑킹은 게이 댄스의 이성애자 버전이고…

(타이론 프락터, https://youtu.be/wMNPtv0dnX8)

내가 아는 이야기는 락커 중 한명이 게이 클럽에 가서 보고 모든 여성스러운 동작들을 가져다가 그것들을 밖으로 뻗어내기 시작했다. 그 후 다른 락커들에게 돌아갔을 때 새로운 춤으로 분류했다는 것이다. 그리고

그것을 하는 게이들이 있기 때문에 그들은 펑킹이라는 단어를 명명했다.

(타이론 프락터, https://youtu.be/3H1T3ioa-Nw)

…(생략) 그 댄서들은 'Punk'라는 단어를 싫어했다. 단어 자체가 일반 사회에서 부정적인 의미를 가지고 있어서...

(아나 롤리팝 산체스, https://youtu.be/n5944iSy5Lc)

Punking은 부정적인 어감이었지만, 그들은 이 단어를 긍정적으로 바꾸려고 했다.

(아나 롤리팝 산체스, https://youtu.be/S87wtzXg0LM)

Punking 이라는 단어 자체가 부정적이었다.

(아나 롤리팝 산체스, https://youtu.be/goXHHt65SRQ)

요즘 말로 펑킹은 '호모 짓'이라는 말이기 때문이다. 그래서 우리는 부정적임을 긍정적으로 바꾸기로 했다. 그래서 우리가 춤추는 걸 보면 쟤네는 펑크고 펑킹하고 있다고 했다. 그리고 거기서 포징이 나왔다. 왜냐면 당신이 음악을 들을 때, 가끔 당신이 움직이는 게 아닌 당신이 잠시 멈춰야 하는 상황들이 있기 때문이다.

(빅터 마노엘, https://youtu.be/xBr9xZKYAwI)

펑킹에서 춤을 출 때는 포징을 하는 것 같았다. 왜냐하면 어딘가를 보거나 자세를 취하거나 하는 거였기 때문이다.

(빅터 마노엘, https://youtu.be/C11VsxtJKRE)

펑킹과 포징은 로스엔젤러스의 게이 무리에서부터 시작되었다.

(샤바두, https://youtu.be/6rIq11mWsOQ)

이걸 처음 본 것은 왁킹이라고 불리기 전, 이것이 포징이라고 불릴 때였다.

(타이론 프락터, https://youtu.be/3H1T3ioa-Nw)

그때 당시에 Punking은 부정적인 어감이었지만, 들은 이 단어를 긍정적으로 바꾸려고 했다. 본인이 Punking을 한다고 하는 거랑 남이 Punk라고 부르는 거랑은 큰 차이가 있다. 그러다 나온 춤은 Posing이었다. Punker들이 포즈를 취하면, 이런 포즈보다 더 큰 포즈를 취하게 되고, 그러다 보니 포즈 자체가 하나의 춤인 Posing이 되어버렸다.

(아나 롤리팝 산체스, https://youtu.be/S87wtzXg0LM)

왁킹이라는 단어는 이성애자들이 있는 이성애자 클럽에서 나왔다. 왜냐면 그들도 그런 스타일의 움직임을 묘사할 방법이 필요했기 때문이다. 몇몇 내 친구들은 이성애자 클럽에 갔는데 거기선 우리가 펑크이고 펑킹을 한다고

말할 수 없었기 때문이다. 그래서 이에 대한 가장 좋은 방법으로는 동작은 '왁킹'이라고 묘사하는 것이다. 'H'가 들어간 왁킹(Whacking)이다. 왜냐면 사전을 보면 힘을 주어 휘두르다 때리다라고 나와 있기 때문이다. 그리고 이게 왁킹이란 단어의 기원이다.

(빅터 마노엘, https://youtu.be/xBr9xZKYAwI)

…(생략) 당신에게 말하는 데에 문제가 없고 거부감이 없다. 이건 그저 당신이 우리 역사에 추가되는 것이고 철자에 'a'가 두 개임을 주장하는 것이다.

(빅터 마노엘, https://youtu.be/C11VsxtJKRE)

우리가 부를 때는 'a'가 두 개 있었는데 왜냐하면 우리는 그 의미와 반대되는 부정적인 함축과는 다른 점을 만들고 싶었기 때문이다. …(중략) 그게 우리가 그렇게 부르는 이유다.

(타이론 프락터, https://youtu.be/7XLgM5R0RdA)

단어 자체가 일반 사회에서 부정적인 의미를 가지고 있어서... 그래서 다들 Waacking 이라는 단어를 다들 더 선호했다. 조금 더 '댄스'적인 어감이 있어서.

(아나 롤리팝 산체스, https://youtu.be/n5944iSy5Lc)

몇몇 지역의 사람들은 소울 트레이닝, 소울 댄싱, 락킹 그리고 디스코 댄싱이라고 부르거나 허슬이 들어간 디스코 댄싱 같은 모든 것들 그리고 그다음에 왁킹(Whacking) 또는 펑킹 또는 포징 이라는 스타일로 불렸다.

(샤바두, https://youtu.be/6rIq11mWsOQ)

3. 왁킹의 근원 및 특징

(1) 외형적 측면

현재의 외형적 형태를 갖추기까지의 변화 과정을 크게 펑킹, 포징, 왁킹 3가지로 구분했다.

첫째, 펑킹은 20년대 영화배우와 옛날 무성영화 배우, 영화, 뮤지컬, 만화, 책, 애니메이션, 예술작품 등에서 영감을 받았으며 그것들을 모방하면서 생겨났다. 펑킹과 왁킹은 같은 형태의 춤인 것으로 확인되었고, 펑킹이 게이 댄스의 이성애자 버전이라는 의견도 언급되었다.

둘째, 포징은 펑킹에서 나온 것이다.

셋째, 왁킹은 프리스타일이며, 락킹의 영향을 받았다.

<인터뷰 내용>

옛날 무성영화 시절에 니진스키 엘리엇 배우를 보고 영감을 받은 사람이다. …(중략) 영화나 뮤지컬에서 영감을 받았다. …(중략) 그때는 태도가 중심이 된 움직임이었다. …(중략) 이 사람들은 프로 댄서들을 흉내 내면서 애티튜드와 액팅을 하고 있었다. 왜냐하면 우리는 전문적인 교육을 받지 못했기 때문이다.

(빅터 마노엘, https://youtu.be/hdUJlNoFhsk)

같은 형태의 춤이 맞다. 내가 왁킹을 묘사하는 방법은, 또 현재 이렇게 가르치지만, …(중략) 그러니깐 결론적으로 '펑킹 & 포징 = 왁킹'이다.

…(중략) 즉석에서 춤을 출 때, 그것이 왁킹이고, 펑킹이고, 포징이다.

(빅터 마노엘, https://youtu.be/xBr9xZKYAwI)

우리는 몇몇 영화를 정해서 춤에 넣기 시작했다. 그게 우리가 하던 방법이었다. …(중략) 그렇게 우리의 재밌는 놀이에 다른 요소들을 더해가기 시작했다. 그리고 틴커가 트월을 가지고 돌아왔을 때, 모든 게 바뀌었다. / 그건 어디서 난거죠? / 브루스 리(이소룡)의 쌍절곤이다.

(빅터 마노엘, https://youtu.be/C11VsxtJKRE)

무성 영화(Silent Movie)

이소룡(Bruce Lee)

펑킹과 왁킹에는 5가지 포인트가 있다. 별 모양, 발을 뻗고 팔을 뻗는 거다. 왁왁하면서. 아니면 당신의 팔을 치는 데에도 포인트가 있다, 내가 여기를 움직이고 이 팔은 저기로 가고 다른 팔은 이곳으로 가고, 춤이 되는 것이다.

(빅터 마노엘, https://youtu.be/jhttJ4NNBBw)

펑킹의 요소와 형태와 기원을 보면, 이는 같은 것이다. 이는 마치 무성영화인데, 뒤에 음악이 플레이되고 있는 것이다.

(빅터 마노엘, https://youtu.be/ffbdXPUGmD0)

우리는 만화도 모방하고, 우리가 본 것, 책 등을 모방하고, (생략)…

(빅터 마노엘, https://youtu.be/goXHHt65SRQ)

펑킹과 왁킹은 기본적으로 같은 것이지만, 펑킹은 게이 댄스의 이성애자 버전이고...

(타이론 프락터, https://youtu.be/wMNPtv0dnX8)

내가 이것을 처음 본 것은 왁킹이라고 불리기 전, 이것이 포징이라고 불릴 때였다. …(중략) 왁킹이랑 펑킹은 같은 춤이다.

(타이론 프락터, https://youtu.be/3H1T3ioa-Nw)

어떤 사람들은 Punking을 더 많이 하고, 어떤 사람들은 Waacking을 더 선호한다. 하지만 중요한 것은, 두 춤 다 Locking이랑 매우 유사하다는 점이다.

(아나 롤리팝 산체스, https://youtu.be/S87wtzXg0LM)

내가 많이 했던 춤은 Punking이라는 춤이었다. 발라드 같은 느린 곡에서 쓸 수 있는, 자연스러운 손동작을 익히는 데 도움이 많이 됐다.

(아나 롤리팝 산체스, https://youtu.be/cEpryAUW8m4)

그때 당시에는 MTV도 없는 시절이어서, 영화를 무음으로 틀어서, 그걸 분석했다. 배우들의 표정, 몸동작 등... 그리고 더 나아가, 애니메이션도 똑같은 방법으로 분석했다. 책도 마찬가지, 예술 작품도 마찬가지... 그런 다양한 매체들을 모방하면서 (생략)…

(아나 롤리팝 산체스, https://youtu.be/goXHHt65SRQ)

그들은 이 할리우드의 화려한 작품들과 그들의 드라마틱한 재능, 시선의 각도, 어깨의 들썩임, 자세들로 할리우드의 영광의 정수를 재창조했다. … (중략) 할리우드의 본질을 자신들의 여성적인 정체성을 찾으면서 본인들의 여성스러운 모습으로 가져왔고 거기서부터 시작이 된 거다.

(달라스 지글러, https://youtu.be/N6phaHSrZZo)

Andrew와 Lonnie, 그리고 Tinker와 같은 창시자들이 이 춤의 형태를 만들 때 1920년대의 황금 시기의 영화배우들을 보며 모델링해서 (생략)…

(달라스 지글러, https://youtu.be/XqP0g3S3BrA)

펑킹에서 춤을 출 때는 포징을 하는 것 같았다. 왜냐하면 어딘가를 보거나 자세를 취하거나 하는 거였기 때문이다.

(빅터 마노엘, https://youtu.be/C11VsxtJKRE)

다른 주요 요소는 40년대의 영화배우다. [그레타 가르보], [마리나 디트리히], [마릴린 먼로] 다른 아름다운 배우들, 그들이 흑백사진을 찍거나 할 때 그 장소 혹은 그들이 만들어내는 포즈들, (생략)…

(타이론 프락터, https://youtu.be/wMNPtv0dnX8)

왁킹은 게이 댄스와 락킹의 혼합이라는 오해의 복합체다. …(중략) 그것을

이성애자 세상에서 받아들여지게 하기 위한 것이다. …(중략) 이것은 게이클럽에서 벗어나 이성애자들의 클럽으로 나와야 했다.

…(중략) 그것이 작용하게 하기 위해서. 그것이 작용한 이유는 내가 불어넣은 락킹의 원동력이다. 그것에 다른 이미지를 심어준 것이다.

…(중략) 극적인 요소를 불어넣었다. …(중략) 브레이킨이라고 불리는 영화에 나오는 사람들은 왁킹을 하고 있다. …(중략) 내가 어떻게 하는지를 보고 와라. 게이처럼 하고 있지 않다. 그것은 거기에 주입된 락킹의 원동력 때문이다.

(샤바두, https://youtu.be/O9fVI-mOsjg)

왁킹은, 말하자면 던져버리는 춤과 같아.

(타이론 프락터, https://youtu.be/bCDzdVoovaM)

유일한 영향은, 가장 큰 영향은 락커들이, 춤을 보고, 춤을 가져가서 그들의 것을 만들었다.

(타이론 프락터, https://youtu.be/wMNPtv0dnX8)

왁킹은 매우 단순하다. 머리끝부터 발끝까지, 왁킹은 사람들로 하여금 그들이 듣는 것을 시각화해서 눈으로 보게 만들어주는 것이다. …(중략) 그리고 세 번째 요소는 신체적으로 더 많이 움직여야 한다는 것이다.

(타이론 프락터, https://youtu.be/Cb0zQNK-meo)

다른 타입 춤의 왁킹에 대한 영향? 나는 모든 춤이 영향을 미친 것이라 확신한다.

(타이론 프락터, https://youtu.be/wMNPtv0dnX8)

여기에서 가장 중요한 부분은 팔동작이었다, 그리고 그런 팔동작을 발전시킨 댄스는 Waacking이다.

(아나 롤리팝 산체스, https://youtu.be/S87wtzXg0LM)

Waacking은 프리스타일이고, (생략)…

(달라스 지글러, https://youtu.be/KjR6Ab6luMM)

(2) 내면적 측면

왁킹의 움직임과 동작의 근원은 춤의 한 스타일이라기보다는 그들의 라이프스타일과 비슷한 것이었다. 삶의 역경을 극복하기 위함이었으며, 자기 내면의 감정을 표현하는 방식이었다.

<인터뷰 내용>

나한테는 이것은 내가 받던 핍박 같은 것들에서 탈출구였고 이는 안전한 천국이었고 내가 조절할 수 있는 무언가였다.

(빅터 마노엘, https://youtu.be/hdUJlNoFhsk)

왁킹이 무엇 같은가? 그것은 삶과 같았고, 탈출이었다.

(빅터 마노엘, https://youtu.be/xBr9xZKYAwI)

펑킹은 억압을 표출하고, 아름다움과 일그러짐을 표현하는 방법의 하나고, 그게 펑킹인 것이다.

(빅터 마노엘, https://youtu.be/C11VsxtJKRE)

그대로 우린 다른 사람처럼 행동하거나 우리가 영화에 나오고 있어서 우리를 촬영 중이라 생각했다. 그래서 이는 모든 면에서의 탈출구였다.

(빅터 마노엘, https://youtu.be/ffbdXPUGmD0)

우리는 만화도 모방하고, 우리가 본 것, 책 등을 모방하고, 우리에게는 이게 우리의 인생 역경을 극복하기 위한 움직임, 동작들이었다.

(빅터 마노엘, https://youtu.be/goXHHt65SRQ)

딱히 춤의 한 스타일 보다는 그냥 그들의 라이프스타일과 비슷한 거였다.

(아나 롤리팝 산체스, https://youtu.be/n5944iSy5Lc)

Punking이라는 것 자체가 자기 내면의 감정과 행동을 표현하는 방식이다. …(중략) 마치 연극 배우처럼, 자기 내면이나 감정들을 화려하게 표현해야 하지만, 감정들이 다양해야 한다. …(중략) 옛날 무성 영화를 보고 배우가 어떤 식으로 감정을 표현하는지 분석해 오기. …(중략) 원조 Punker들은 이것을 굉장히 중요하게 여겼다. …(중략) Waacking을 할 거면, 그 감정을 몸으로 표현해야 한다. 동작이나 눈빛 하나로. 그리고 이 과정에서, 뭔가 표현하기 불편하거나 어려운 감정이 있으면, 그것을 그냥 하나의 '옷'을 입는다는 생각으로 하면 된다.

(아나 롤리팝 산체스, https://youtu.be/S87wtzXg0LM)

머리 뒤까지 다리를 올린 상태에서 몸을 움직일 수 있는 최고의 댄서... 하지만 그런 기술도, Punking, Waacking, Posing에서 나온 감정이나 느낌을 표현하는 하나의 방식이었다.

(아나 롤리팝 산체스, https://youtu.be/cEpryAUW8m4)

가장 중요한 포인트는 자기 삶에서 힘들었던 점들을 표현하는 것이다. 그게 어떤 형태이든 간에 본인의 심정을 자유롭게 표현하는 게 포인트다.

(아나 롤리팝 산체스, https://youtu.be/goXHHt65SRQ)

그들은 독특하게 자기 자신들을 표현하길 원했고, (중략)… Waacking은 독특한 자기 표현법으로 '난 이제 숨어있지 않을 것이고, 나는 나일 뿐이며 우리 모두 다 함께하는 거야' 라고 외치는 것이었다.

(달라스 지글러, https://youtu.be/N6phaHSrZZo)

Waacking은 프리스타일이고, 자기표현에 대한 갈망과 열정이며, 그리고 자신에 대한 근원과 모든 것의 시작을 알아가는 것이다.

(달라스 지글러, https://youtu.be/KjR6Ab6luMM)

‘펑킹(Punking)’과 ‘왁킹(Waacking)’은 어떤 차이가 있을까?

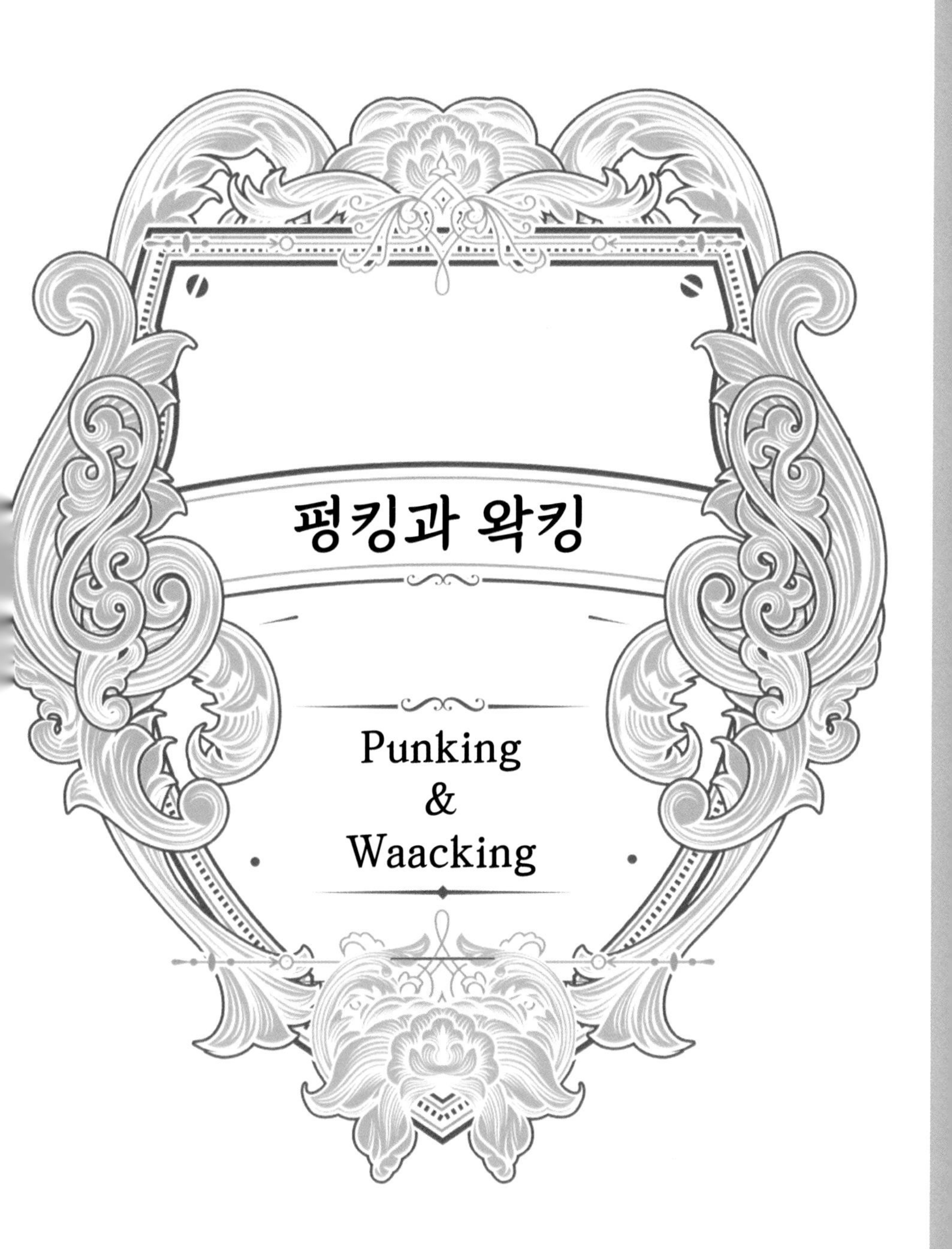

펑킹과 왁킹

Punking
&
Waacking

[Punking]

펑킹(Punking)이 전체적인 스타일이라면, 왁킹(Waacking)은 하나의 요소이다. 이는 '닭이 먼저냐 달걀이 먼저냐'와 같은 것이다. 당신이 펑크(Punk)를 한다면, 당신의 개성으로 가득 찬 캐릭터가 스토리텔링을 하는 영화가 되는 것이다. 왜냐하면 '할리우드의 전성기'가 오리지널 펑커(Punkers)에 큰 영향을 주었기 때문이다.

무성영화(Silent films), 뮤지컬, 장편영화, 마릴린 먼로, 에스테어, 그레타 가르보, 마를레네 디트리히(Marlene Dietrich), 진 할로우(Jean Harlow), 루돌프 발렌티노(Rudolph Valentino), 노마 데스몬드, 찰리 채플린, 페이 레이(Fay Wray), 킹콩, 루니툰즈 만화, Bugs Bunny, Bruce Lee 영화, 심지어 Star Wars의 광선검 같은 것도 있다. 이 모든 것들이 오리지널 펑커(Punkers)의 움직임에 영향을 미쳤다.

물론 1960년대 배트맨과 로빈 TV 시리즈에서도 전투 장면에 "POW", "Punch", "Bang", "Crash", "Whack"라는 표현들이 등장했다. 배트맨과 로빈은 'Whack'이라는 동작의 이름을 따온 것인데, 사전에서 'WHACK'을 찾아보면 힘차게 때린다는 뜻으로 나온다.

루돌프 발렌티노

벅스 버니

배트맨 앤 로빈

루니 툰즈

스타 워즈

마를레네 디트리히

진 할로우

페이 레이

"Punking"은 춤의 드라마틱한 요소로 묘사되곤 한다. 행실, 캐릭터, 애티튜드, 그리고 행동, 퍼포먼스 같은 것이다.

[Waacking]

이성애자 댄스 커뮤니티가 그 춤과 문화에 푹 빠지기 시작했을 때 그들은 펑크(Punk)나 펑킹(Punking)이라는 동성애 관련 용어를 사용하고 싶지 않아 새로운 이름을 붙였고, 'WAACKIN'으로, 와킨(Waackin)이라고 불렀다.

그들은 할리우드 댄서 제임스 캐그니(James Cagney)의 이름을 따서 이 춤을 'Cagney'라고 불렀고, 오리지널 펑크들(Punks)로부터 춤을 배운 최초의 이성애자 남성 Waacker의 이름을 따서 이 춤을 '샤바-두(Shaba-doo)'라고 불렀다. Shaba-doo는 락커(Locker)였기 때문에 펑크와 왁킹에 락킹의 관점을 도입했다. 그것은 확실히 게이들의 락킹이 아니었다.

또한, 그는 원래 단어인 'Whack'에서 "H"를 분리하여 두 개의 'A'가 있는 Waackin'으로 사용했다. "H"는 'Whack' 이라는 단어에서, 'Whacking off'라는 성적인 풍자를 하거나, 그들을 죽이려고 'Whack'하는 것과 같은 부정적인 의미를 가지고 있었기 때문이다.

그리고 타이론 프락터(Tyrone Proctor)가 말했듯이, 그 이름 끝에 'G'를 추가하여 오늘날 댄스 커뮤니티에서 인정하는 철자인 'WAACKING'을 만든 사람은 제프리 다니엘(Jeffrey Daniel) 이었다.

오리지널 펑커(Punks)인 아서(Arthur), 틴커(Tinker), 앤드류(Andrew)는 전국적으로 방영된 TV 쇼인 <Soul Train>의 댄서였다. 펑킹(Punking)과 왁킹(Waacking)이 전국의 댄서들에게 드러나게 된 이유는, 펑킹과 왁킹을 하는 소울 트레인(Soul Train) 댄서 타이론 프락터(Tyrone Proctor)가 뉴욕으로 이주하여 전설적인 왁커(Waacker)이자 보거(Voguer)인 아치 버넷(Archie Burnett), 전설적인 보거(Voguer)인 윌리 닌자(Willie Ninja)와 함께 'Breed of Motion'이라는 그룹에 합류했기 때문이다. 이 그룹의 멤버들은 뉴욕은 물론 일본의 왁킹 씬에 큰 영향을 미쳤다. 'Breed of Motion'의 영향으로 왁킹(Waacking)과 보그(Vogue)가 서로 닮기 시작하게 되었다.

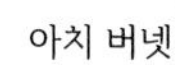
아치 버넷

브리드 오브 모션

‘왁킹(Waacking)’과 ‘보깅(Voguing)’은 어떤 차이가 있을까?

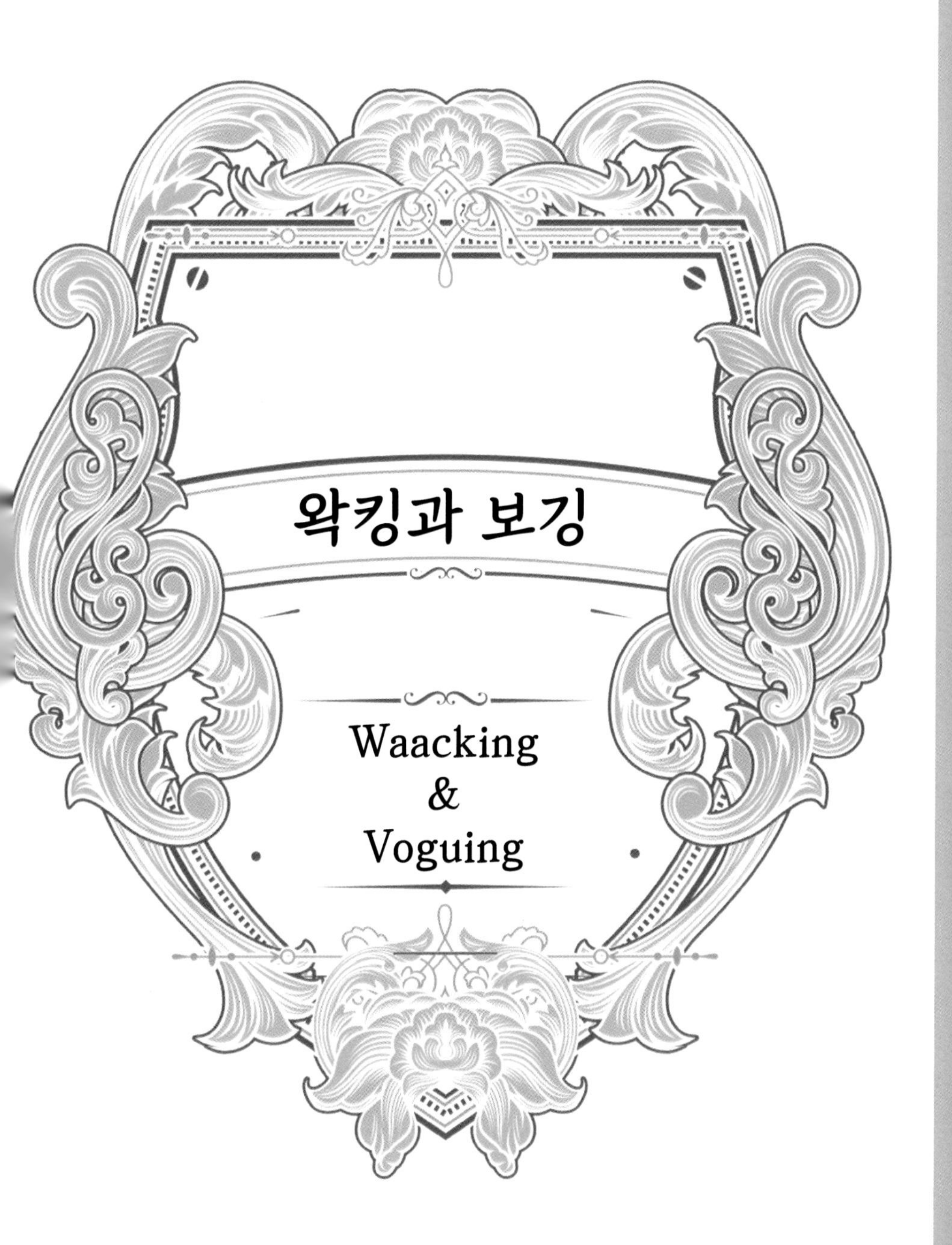
왁킹과 보깅
Waacking
&
Voguing

왁킹과 보깅의 가장 큰 차이점은 왁킹이 1970년대 초 미국 서부 지역에서 디스코 음악에 맞춰 생겨난 춤인 반면, 보깅은 1980년대 말부터 1990년대 초까지 미국 동부 지역에서 하우스 음악에 맞춰 유행한 춤이라는 것이다. 이 춤들의 공통점으로는, 동성애자들이 만들었다는 것 외에도 패션모델처럼 자세를 취하는 '포징(Posing)'이 있다는 특징이 있다.

그러나 보깅은 단순히 정적인 포즈(Pose)를 반복하는 것이라면, 왁킹은 포즈와 포즈 사이에 음악의 리듬에 맞추어 다양한 움직임을 보여준다는 점에서 차이점이 있다.

어떤 사람들은 보깅의 유래를 1960년대로 보기도 하지만, 보깅이 널리 알려지고 대중화된 것은 말콤 맥라렌(Malcolm McLaren)의 노래 '딥 인 보그(Deep in Vogue)'(1989)와 마돈나(Madonna)의 '보그(Vogue)'(1990)의 안무와 뮤직비디오에 사용되어 큰 인기를 끌면서부터라고 할 수 있다.

참고로 왁킹이나 보깅 등의 춤이 여성들만 추는 춤이라는 오해가 있는데(한국에서의 '걸스 힙합'이라는 명칭때문에 그런 인식이 더욱 강하다) 이는 잘못된 것으로 성별과 관계없이 누구나 출 수 있는 춤이라는 점을 기억해야 한다.

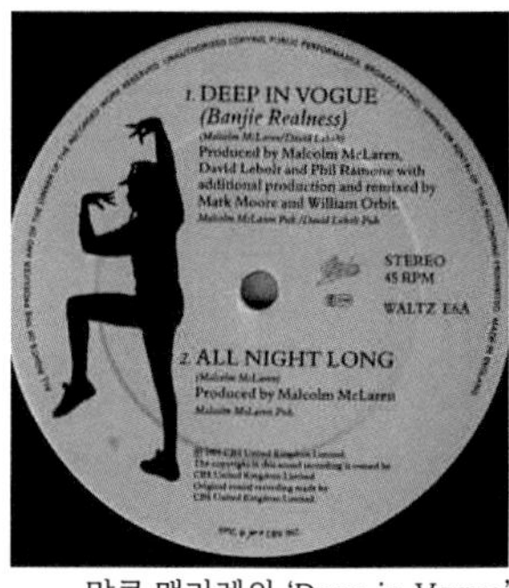

말콤 맥라렌의 'Deep in Vogue'

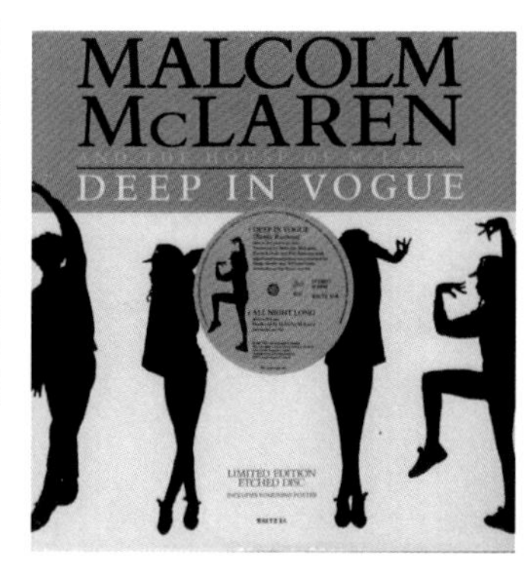

마돈나의 'Vogue'

지금까지
왁킹과 디스코에 대해
알아보았습니다.

왁킹에 관심 있는 분들께
선배들의 조언을 전합니다.

왁킹을 하려는 분들께

왁킹은 당신의 신체로 노래하는 것이다.

왁킹에서는, 당신은 사람들을 음악을 볼 수 있게 만들어야 한다. 각각의 악기 혹은 보컬을 정교하게 강조함으로써 사람들이 들은 것을 볼 수 있게 해야 한다.

왁킹에 있어서는 남자와 여자의 구분이 없다.

당신이 여성이지만, 본인이 남성적이라고 느낀다면, 그렇게 하면 된다.
반대로 남자이지만, 본인이 여성스럽다고 생각한다면, 그렇게 하면 된다.
자신이 '유니콘' 같다는 느낌이 든다면, 더욱 좋다! 전혀 중요하지 않다.
당신이 춤을 추는 순간 바로 당신이 느끼는 것이다.

왁킹에서는 솔직하게, 자유롭게 해라.

그 순간에는 자신이 누구인지, 무엇을 전달하고 싶은지, 하고 싶은 이야기가 무엇인지 솔직하게 말해야 한다. 이것도 왁킹의 큰 부분이기 때문이다.

그냥 자유롭게 하고, 놓아버리면 된다. 이 춤은 각자의 개성이 되는 것이니까.

왁킹을 단어들로 표현하자면

왁킹은 '자기표현'에 관한 것이다.

왁킹은 '자유'에 관한 것이다.

왁킹은 '해방'하는 것이다.

왁킹은 '스토리텔링'을 하는 것이다.

왁킹은 수많은 '드라마'에 관한 것이다.

섬세하게, 당신이 누구인지, 무엇을 추구하는지 왁킹을 통해 보여주면 된다. 당신은 이미 왁커가 될 준비가 되어 있다.

왁킹은 디스코 음악이 기본.

왁킹을 하시는 분들께
도움이 될 음악 리스트
약 300가지를 알려드립니다.

부록

왁킹과 관련된, 참고할 만한 음악 리스트

African Blood - Supermax

Air Power - Welcome To The Disco

AKB - Stand Up Sit Down

Alec R. Costandinos - Accidental Lover

Alec R. Costandinos - Romeo & Juliet

Alec R. Costandinos - Thank God It's Friday

Alec R. Costandinos - The Rite of King Gymenaud

Alec R. Costandinos - Trocadero Suite (Instrumental Album Version)

Alec R. Costandinos - Winds Of Change (A Musical Fantasy)

Alec R. Costandinos - You Must Be Love

Alec R. Costandinos - You're The Most Precious Thing In My Life

Alec R. Costandinos & Sphinx - Judas Iscariot (Suite)

Alec R. Costandinos & Sphinx - Simon Peter

Alec R. Costandinos & The Syncophonic Orchestra - Hunchback Of Notre Dame

Alec R. Costandinos & The Syncophonic Orchestra - Synergy

Alec R. Costandinos (Love & Kisses) - How Much, How Much I Love You

Alec R. Costandinos , Love And Kisses - I've Found Love

Amant - Hazy Shades of Love

Amant - If There's Love

Arpeggio - Love and Desire

Ashford and Simpson - Bourgie Bourgie

Ashford and Simpson - Tried, Tested and Found True

Atlantic Starr - Let The Spirit Move Ya

B.T. Express - Do It (Til You're Satisfied)

B.T. Express - Energy To Burn

B.T. Express - Express

B.T. Express - Peace Pipe

Baby 0 - In The Forest

Barbra Streisand - The Main Event (Fight)

Barry Manilow - Capacabana (At The Copa)

Barry White - You're The First, The Last, My Everything

Beautiful Bend - That's The Meaning / Boogie Motion

Billy Preston - Outa-Space

Bionic Boogie - Risky Changes

Boris Midney & Beautiful Bend - Ah - Do It

Boris Midney & Beautiful Bend - Buenos Aires

Boris Midney & Festival - Eva's Theme

Boys Town Gang - Disco Kicks (12' Remix)

Brainstorm - Hot For You

Brainstorm - Lovin' is Really My Game

Brass Construction - Changin'

Brass Construction - Movin'

Brooklyn Dreams - Street Man

C.J & Co. - Beware The Stranger

C.J & Co. - Deadeye Dick

C.J & Co. - Hear Say

C.j. & Co - Devil's Gun

Candi Staton - Victim

Candi Staton - When You Wake Up Tomorrow

Carrie Lucas - I Gotta Keep Dancin' (Keep Smiling)

Cerrone - Black is Black

Cerrone - Cerrone's Paradise

Cerrone - Give Me Love / Love is The Answer

Cerrone - Je Suis Music

Cerrone - Love In C Minor

Cerrone - Midnight Lady

Cerrone - Striptease (B.O.F. Brigade Mondaine I)

Cerrone - Supernature

Chakachas - Jungle Fever

Change - Angel In My Pocket

Cher - Take Me Home

Cheryl Lynn - Star Love

Chic - Dance, Dance, Dance (Yowsah, Yowsah, Yowsah)

Chicago - Street Player

Cissy Houston - Think it Over

Constellation Orchestra - Cosmic Melody

Constellation Orchestra - Dancing Angel

Constellation Orchestra - Perfect Love Affair

Convertion - Let Do It

Croisette - Jokers Are Wild

Croisette - Keep It On Ice

Croisette - Under Hypnosis

Crown Heights Affair - Dance Lady Dance

Crown Heights Affair - Dancin'

Crown Heights Affair - Dreaming A Dream

Crystal Grass - Crystal World

D.D Sound - Disco Bass

Dan Hartman - Countdown (This Is It)

Dan Hartman - Instant Replay

Dan Hartman - Relight My Fire

Debbie Jacobs - Don't You Want My Love

Debbie Jacobs - Hot Hot (Give It All You Got)

Deniece Williams - I've Got The Next Dance

Dennis Coffey - Scorpio

Destination - Castles (Suite)

Destination - Move On Up

Destination - My Number 1 Request (Put It Where You Want It)

Destination - The beginning

Destination - The End (The Party)

Diana Ross - Love Hangover

Diana Ross - No One Gets The Prize

Diana Ross - The Boss

Disco Tex & The Sex-O-Lettes - Get Dancin'

Don Armando - Deputy Of Love

Don Ray - Got To Have Loving

Donna Summer - Could It Be Magic

Donna Summer - Dim All The Lights

Donna Summer - Four Seasons Of love

Donna Summer - I Feel Love

Donna Summer - Last Dance

Donna Summer - Love To Love You Baby

Donna Summer - MacArthur Park

Donna Summer - Melody Of Love (Wanna Be Loved)

Donna Summer - Rumour Has It

Donna Summer - Sunset People

Donna Summer - Try Me I Know We Can Make It

Donna Summer & Barbra Streisand - No More Tears

Donna Summer - Hot Stuff & Bad Girl

Double Exposure - My Love Is Free

Double Exposure - Newsy Neighbors

Double Exposure - Ten Percent

Earth Wind and Fire - Boogie Wonderland

Eartha Kitt - Where Is My Man

Eddie Kendricks - Boogie Down

Eddie Kendricks - Goin' Up In Smoke

Edwin Starr - Contact

El Coco - Cocomotion

El Coco - Dance Man

Esther Phillips - What A Difference A Day Makes

Feeling Floyd - Have A Cigar

Ferrara - Love Attack

Ferrara - Shake It Baby Love

Ferrara - Wuthering Heights (Suite)

First Choice - Armed and Extremely Dangerous

First Choice - Double Cross

First Choice - Great Expectations

First Choice - Hold Your Horses

First Choice - Love Thang

Foxy - Get Off

France Joli - Come To Me

Frankie Valli & The Four Seasons - Who Loves You

Freddie James - Get Up and Boogie

Front Page - Love insurance

G.Q. - Disco Nights (Rock Freak)

Gary Toms Empire - 7-6-5-4-3-2-1 (Blow Your Whistle)

Gary's Gang - Do It At The Disco

Gibson Brothers - Cuba / inst

Gino Soccio - Dancer

Giorgio Moroder - Chase

Giorgio Moroder - Faster Then Speed Of Love

Gloria Gaynor - Casanova Brown

Grace Jones - Do Of Die

Gwen Guthrie - Ain't Nothin Goin On But The Rent

Gwen McCrae - Keep The Fire Burning

Hamilton Bohannon - Foot Stompin Music

Hamilton Bohannon - Let's Start A Dance

Hamilton Bohannon - Stop And Go

Harry Thumann - Underwater

Hazell Dean - Searchin'

Heatwave - Boogie Nights

Herbie Mann - Superman

Inner Life - I'm Caught Up (In a One Night Love Affair)

Isaac Hayes - Disco Connection

Isaac Hayes - Theme From Shaft

Jackie Moore - This Time Baby

Jackson 5 - Forever Came Today

Jackson 5 - I Am Love

Jakki - Sun Sun Sun

Jessica Williams - Queen of Fools

Jimmy 'Bo' Horne - Spank

John Davis & The Monster Orchestra - A bite Of The Apple

John Davis & The Monster Orchestra - Ain't That Enough For You / Inst

John Davis & The Monster Orchestra - Disco Fever

John Davis & The Monster Orchestra - Kojak Theme

John Davis & The Monster Orchestra - Love Magic

John Davis & The Monster Orchestra - Up Jumped The Devil

Kano - I`m Ready

Kat Mandu - The Break

Kelly Marie - Feels Like I'm In Love

Kinsman Dazz - Can´t Get Enough

Kleeer - Keep Your Body Workin'

Lalo Schifrin - Jaws

Lalo Schifrin - Theme from "Enter The Dragon" (Main Title)

Laura Branigan - Gloria

Lime - Agent 406

Linda Clifford - If My Friends Could See Me Now

Linda Clifford - Runaway Love

Lipps Inc. - Rock It

Loleatta Holloway - Dreamin'

Loleatta Holloway - I May Not Be There When You Want Me

Loleatta Holloway - Love Sensation

Love De-Lux - Here Comes That Sound Again

Macho - I`m A Man

Madleen Kane - Fever + Make Me Like It

Madleen Kane - Forbidden Love + Cheri + Secret Love Affair

Madleen Kane - Rough Diamond

Marathon - I Wanna Dance

Martin Circus - Disco Circus

Meco - Main Title Theme

Melba Moore - You Stepped Into My Life

MFSB - Is It Something I Said

MFSB - K-Jee

MFSB - Mysteries of the World

Michael Zager Band - Let's All Chant

Miguel Brown - So Many Man So Little Time

Modern Romance - Can You Move

Montana - Fanfare for the Common Man

Munich Machine - Get On The Funk Train

Musique - In The Bush

Musique - Keep On Jumpin'

Musique - Love Massage

Musique - Summer Love Theme

Natalie Cole - Pink Cadillac

Natural Juices - Floyd's Theme

Nightlife Unlimited - Dance Freak & Boogie

Nightlife Unlimited - Disco Choo Choo

Norman Connors - Disco Land

Olympic Runners - The Bitch

Orient Express - Desert Fantasy

Paradise Express - Dance (Special 12 Disco Mix)

Passion - Dancing and Romancing

Passion - In New York

Patrick Juvet - I Love America

Patti Jo - Make Me Believe in You

Patti Labelle - Eyes In The Back Of My Head

Pattie Brooks - After Dark

Peaches And Herb - Shake Your Groove Thing

Peter Brown - Crank It Up

Peter Brown - Do You Wanna Get Funky With Me

Peter Jacques Band - Counting On Love (One Two Three)

Peter Jacques Band - Devil's Run

Peter Jacques Band - Fire Night Dance

Peter Jacques Band - Walking On Music

Prescription Pricing Authority - 1-2-1 (Ppa Rework)

Prince - Just As Long As We're Together

Quarts - Beyond The Clouds

Quartz - Lady America

Quartz - Quartz

Queen Samantha - Close Your Eyes (Remix)

Ram Jam - Black Betty

Raul De Souza - Sweet Lucy

Rhythm Heritage - Blockbuster

Rhythm Heritage - Caravan

Rhythm Heritage - Theme From S.W.A.T

Roger williams - Misirlou

Roger williams - To Bee Or Not To Bee

Rose Royce - Car Wash

Santa Esmeralda - Don't Let Me Be Misunderstood

Saturday Night Band - Boogie With Me

Saturday Night Band - Keep Those Lovers Dancing

Saturday Night Band - Let's Make It a Party

Shalamar - Right in the Socket

Sharon Brown - I Specialize In Love

Sharon Redd - Beat the Street

Sharon Redd - Can You Handle It

Silvetti - Spring Rain

Something Special - Got To Get Ready

South Shore Commission - Free Man

Stargard - Wear It Out

Stephanie Mills - Put Your Body In It

Sylvester - Dance (Disco Heat)

Sylvester - I Need You

Sylvester & Patrick Cowley - Do You Wanna Funk

Syreeta - Can't Shake Your Love

T.S. Monk - Candidate for Love

Tavares - Don't Take Away The Music

Tavares - It Only Take a Minute

T-Connection - At Midnight

T-Connection - Do What You Wanna Do

T-Connection - On Fire

Tevin Campbell - Strawberry Letter 23

The Glitter Band - Makes You Blind

The Jacksons - Lovely One

The Jacksons - Walk Right Now

The Jimmy Castor Bunch - Psych Out

The Jones Girls - You Gonna Make Me Love Somebody Else

The Kay Gees - Latican Funk

The Mighty Clouds Of Joy - Mighty High

The Mike Theodore Orchestra - Disco People

The Mike Theodore Orchestra - Dragons of Midnight

The Mike Theodore Orchestra - High On Mad Mountain

The Mike Theodore Orchestra - Moon Trek

The Mike Theodore Orchestra - The Bull

The Mike Theodore Orchestra - Wonder Man

The Miracles - Love Machine

The Miracles - Spy For Brotherhood

The New York Community Choir - Express Yourself

The Originals - Down To Love Town

The Pointer Sisters - Jump (For My Love)

The Ring - Savage Lover

The Ritchie Family - Brazil

The Salsoul Orchestra - 212 N. 12th

The Salsoul Orchestra - Chicago Bus Stop

The Salsoul Orchestra - Don't Beat Around The Bush

The Salsoul Orchestra - Magic Bird Of Fire

The Salsoul Orchestra - Nice 'n' Nasty

The Salsoul Orchestra - Salsoul 3001

The Supremes - You're My Driving Wheel

The Sylvers - Boogie Fever

The Temptation - MasterPiece

The Temptation - Papa Was a Rollin' Stone

The Temptations - Law Of The Land

The Three Degrees - Dirty Ol' Man

The Trammps - Disco Inferno

The Trammps - Disco Party

The Trammps - Love Epidemic

The Undisputed Truth - You + Me = Love

The Wiz - The Tornado

Thelma Houston - Don't Leave Me This Way

Tina Charles - Love Bug

Trussel - Love Injection

Two Tons O' Fun - I Got The Feeling

U.N. - Disco Power

Van McCoy - Party

Viola Wills - Stormy Weather

Voyage - From East to West

Voyage - Latin Odyssey

Voyage - Souvenirs

Walter Murphy - A Fifth Of Beethoven

Walter Murphy - Classical Dancin'

The Mike Theodore Orchestra - High On Mad Mountain

The Mike Theodore Orchestra - Moon Trek

The Mike Theodore Orchestra - The Bull

The Mike Theodore Orchestra - Wonder Man

The Miracles - Love Machine

The Miracles - Spy For Brotherhood

The New York Community Choir - Express Yourself

The Originals - Down To Love Town

The Pointer Sisters - Jump (For My Love)

The Ring - Savage Lover

Walter Murphy - Flight 76 (Flight of the Bumble Bee)

Walter Murphy - Mostly Mozart

Walter Murphy - Rhapsody in Blue

Walter Murphy - Russian Dressing

Walter Murphy - Toccata and Funk in D Minor

Whitney Houston - I`m Every Woman

참고 문헌

- 나무위키, 위키피디아 인물 정보

- https://academic-accelerator.com/encyclopedia/kr/waacking

- Ebony 잡지, 1978년 8월호

- Princess Lockerooo BRUT. 인터뷰 (www.brut.media)

- Alanjones & Jussi kantonen, 「Saturday night forever : The story of disco」 (Chicago Review Press, 2000)

- Daryl easlea, 「Chic: Everybody dance : The politics of disco」 (Helter Skelter Publishing, 2004)

- Katherine charlton, 「Rock Music Styles ; A history」 (McGraw-Hill,1997)

- Larry starr & Christopher Alan Waterman, 「American Popular Music: From Minstrelsy to MTV」 (Oxford University Press. 2002)

- Sherrie A. Inness, 「Disco divas : Woman and popular culture in 1970's」 (University of Pennsylvania Press. 2003)

- Tim lawrence, 「Love save the day : A history of American dance music culture 1970~1979」 (Duke University Press, 2004)

- Various writer, 「The big book of disco & funk」 (Hal Leonard Corporation, 2002)

- 한미영, 「몸의 언어 DISCO : 한국에서의 디스코(DISCO)음악 수용과정 - 1980년대 중심으로 -」 (석사학위논문, 단국대학교, 2005년)

- <왁킹 댄스(Waacking Dance) 역사에 대한 유튜브 기록 실태> (석사학위논문, 국민대학교, 2019년)

- backtodisco.com

- Nowhere Men Brian & Alex : <Waacking History with Princess Lockeroo>

- Kumari Suraj : <WHAT IS WAACKING? | Queer History of Punking, Whacking, Waacking 1970-2003 |The Intro|>

- https://youtu.be/N6phaHSrZZo

- https://youtu.be/DfyoZrKBQm0

- https://youtu.be/XqP0g3S3BrA

- https://youtu.be/KjR6Ab6luMM

- https://youtu.be/hdUJlNoFhsk

- https://youtu.be/FUL6PVdrwkM

- https://youtu.be/xBr9xZKYAwI

- https://youtu.be/C11VsxtJKRE

- https://youtu.be/goXHHt65SRQ

- https://youtu.be/ffbdXPUGmD

- https://youtu.be/2fQlK-eRF2s
- https://youtu.be/6rIq11mWsOQ
- https://youtu.be/O9fVI-mOsjg
- https://youtu.be/n5944iSy5Lc
- https://youtu.be/S87wtzXg0LM
- https://youtu.be/cEpryAUW8m4
- https://youtu.be/goXHHt65SRQ
- https://youtu.be/AWg7iPD9ui0
- https://youtu.be/GqWbemxOwoA
- https://youtu.be/bCDzdVoovaM
- https://youtu.be/7XLgM5R0RdA
- https://youtu.be/4Cm8Cj2sIL0
- https://youtu.be/wMNPtv0dnX8
- https://youtu.be/xlUaBJiVGKE
- https://youtu.be/3H1T3ioa-Nw
- https://youtu.be/i7PzX7xLPow
- https://youtu.be/Cb0zQNK-meo
- https://youtu.be/PxOhNK6hrCI
- https://youtu.be/jhttJ4NNBBw
- https://youtu.be/2fQlK-eRF2s

FALL *in* WAACKING